Flores de Bach
Restaura tu armonía interior

SIGRID SCHMIDT

HISPANO EUROPEA

Sigrid Schmidt cursó estudios de física avalados por un diploma de ingeniería en la Universidad Tecnológica de Berlín. Cuenta con diez años de experiencia profesional en el ámbito de la informática, además de formación como terapeuta en Munich (Alemania).

Instalada como psicoterapeuta en Munich desde 1982, practica la terapia conversacional, la homeopatía y la terapia con flores de Bach. Es profesora de conferencias en la Universidad Popular de Pullach desde hace tiempo.

Prefacio

El objetivo de esta guía es el de iniciarte en la terapia de Bach y proporcionarte los medios para curarte tú mismo. El Dr. Edward Bach, que la descubrió hace aproximadamente sesenta años, pasó al principio por todas las etapas tradicionales de la medicina alopática. Su experiencia personal (sufrió un cáncer) lo empujó, no obstante, a evolucionar en su aprehensión de la enfermedad y la salud en un sentido que de ningún modo podía conjugarse con la concepción médica clásica que se enseña en la universidad. Tuvo consciencia de que la profunda carencia de armonía interna y el sentimiento de desacuerdo con el destino propio (que se expresa en todas nuestras contrariedades cotidianas) eran la base de todas nuestras afecciones. Para tratar dicha discordancia e intentar así prevenir la enfermedad, Bach se volvió hacia los remedios naturales. Gracias a su formidable intuición consiguió elaborar sus esencias a partir de métodos simples, con 37 flores y agua pura de manantial.

Los elixires florales del Dr. Bach (que representan una elección voluntaria en una época marcada por la prisa, el estrés y las presiones internas y externas) tienen una acción armonizadora sobre el alma: nos ayudan a sobrellevar las dificultades de la vida cotidiana, a abrirnos, a reencontrar el equilibrio en caso de enfermedad.

Utilizo las flores de Bach desde hace años y siempre contemplo con satisfacción los asombrosos efectos que tienen en mis pacientes. Es esta experiencia la que me ha empujado a escribir una guía de automedicación, la cual tienes entre tus manos en una edición nueva, completamente revisada y corregida.

Empieza por leer tranquilamente la introducción explicativa en relación a esta terapia, luego remítete a las diversas rúbricas de la «Guía para la selección de flores» y al «Repertorio alfabético». Tómate tiempo para estudiar en detalle la descripción de las diferentes flores y para escoger aquellas que más te convengan. Pronto te sentirás familiarizado con esta sencilla terapia y podrás experimentar su maravillosa eficacia en poco tiempo. En todo caso, ese es mi deseo de todo corazón.

Sigrid Schmidt

Acerca de la
flores de Bach

Las flores de Bach tienen la particularidad de permitirte curarte simple y eficazmente sin ningún tipo de conocimiento médico ni de aptitud concreta. Solo exigen una cosa: que tomes consciencia de tu estado emocional actual y que seas capaz de expresar lo que sientes. ¿Se trata, quizá, de impaciencia, cólera o tristeza? Cada estado emocional puede ser aliviado con la esencia de una flor.

Antes de pasar a la guía donde se encuentra la relación de esencias que se corresponden con tu estado anímico, descubre en este capítulo los fundamentos de la terapia a través de las flores de Bach.

La terapia de Bach

》》 Cuando tengo hambre, me voy al jardín a coger una manzana; cuando tengo ansiedad, tomo una dosis de mímulo. 《

Edward Bach

La terapia del Dr. Bach es un método suave y natural para tratar las emociones y los estados de ánimo negativos temporales, trabajando extensamente en el crecimiento personal del individuo.

Esta terapia no cura las enfermedades mentales ni las patologías fisiológicas graves cuando ya han acarreado problemas funcionales. Sin embargo, puede ayudarte a encontrar los recursos necesarios para soportar otros tipos de tratamiento.

Los párrafos sobre la vida de Bach, sobre su compresión del ser humano, su concepción de la enfermedad y sus explicaciones relativas al funcionamiento de su método, han sido voluntariamente simplificados y acortados. Si estás interesado en el pensamiento de Bach y en las bases filosóficas de su método, lo ideal sería leer sus trabajos.

Edward Bach

Edward Bach fue un médico inglés nacido en 1886 y muerto en 1936. Desde su más tierna infancia, se distinguió por su gran sensibilidad, su excepcional intuición y su estrecha afinidad con la naturaleza. Siendo adolescente, pasaba largas horas paseando mientras observaba la flora y la fauna. Tanto es así que era capaz de nombrar todo tipo de flores y hierbas desde los estadios más precoces de su desarrollo. A los 17 años empezó a trabajar en la fundición de cobre familiar, como aprendiz. Allí descubrió las dificultades de los obreros para salir adelante: las malas condiciones de vida y de trabajo les hacían caer enfermos, pero no tenían medios para costearse un médico y un tratamiento. Intuyendo que el estrés psicológico en el que estos vivían era la causa subyacente de sus enfermedades, y hondamente conmovido por la angustia de esa gente, decidió ayudarlos de forma que la intervención de un médico hubiese sido poco relevante, ya que curaba antes de que la enfermedad apareciera. Fue esa experiencia, sin duda alguna, la base de la investigación que lo llevó a buscar durante toda su vida remedios que las personas pudiesen administrarse ellas mismas.

Empezó los estudios de medicina en 1906 y, una vez licenciado, se consagró a la investigación médica. En esa época, descubrió la relación entre los síntomas de una enfermedad crónica y ciertas cepas bacterianas presentes en el intestino. Preparó, entonces, vacunas para curar esta enfermedad.

A partir de 1918 trabajó en un hospital practicando homeopatía. Descubrió las enseñanzas de Samuel Hahnemann, fundador de la homeopatía tradicional. Entusiasmado con dichas tesis, se sirvió de diversas vacunas para preparar remedios homeopáticos que no se inyectaran, para que los pacientes pudieran autoadministrárselas por vía oral.

Poco a poco fue interesándose más por los aspectos psíquicos, los rasgos de carácter y los estados anímicos de cada uno de sus pacientes, dejando de lado de manera progresiva los síntomas puramente físicos de sus dolencias. Se dio cuenta entonces de que cada uno de sus remedios era aplicable a un estado emocional específico. Sin embargo, le obsesionaba el hecho de que sus medicamentos provenían de bacterias y no de recursos naturales más inocuos. Ese fue el punto de partida de una nueva búsqueda: la de las plantas capaces de actuar sobre el estado anímico de sus pacientes reemplazando los medicamentos usados hasta entonces. En 1929 descubrió las tres primeras flores útiles en el País de Gales y empezó a emplearlas con los enfermos exitosamente. Un año más tarde, abandonó su consulta de Londres y se instaló en Gales para consagrarse a la búsqueda de plantas. Al escogerlas, se dejaba guiar por su fabulosa intuición. Se dice que con solo oler o probar una flor, era capaz de determinar el estado emocional que la flor sería capaz de aliviar. Al final se quedó con 38 esencias florales que, según él, podían modificar cualquier estado anímico.

Aplicaciones de la terapia de Bach

Su experiencia personal condujo a Bach a alejarse de la ciencia médica moderna porque estaba convencido de que no eliminaba la enfermedad en sí misma sino que sólo hacía desaparecer sus síntomas físicos. Según él, la medicina convencional paliaba únicamente las consecuencias visibles del mal pero no sus causas profundas. Para Bach, la verdadera causa de la enfermedad está oculta en nuestro interior, en nuestra disposición negativa para enfrentarnos a nosotros mismos o a la vida, en nuestra debilidad de carácter y nuestras insatisfacciones más profundas.

Su concepción del ser humano

Bach tenía una concepción marcadamente religiosa del ser humano. Para él, somos criaturas de Dios: perfectos, felices, satisfechos y sanos. Pero los acontecimientos de la vida (las experiencias de la infancia, las dificultades escolares y profesionales, los conflictos en las relaciones con los demás, etc.) nos hacen olvidar, progresivamente, que somos únicos, sin razón alguna para vivir angustiados, desolados, desesperados o insatisfechos. Olvidamos que estamos investidos de dones que nos predestinan a un trabajo u otro. Olvidamos que somos individuos irremplazables y que el único elemento de comparación que existe entre dos personas es, precisamente, que ambas son seres humanos. A pesar de este olvido, el ser humano no ha perdido su origen divino, no nos hemos desligado completamente, tan solo nos falta recordar nuestra esencia. El olvido y el recuerdo de dicho origen divino constituyen, para Bach, los dos polos opuestos que se expresan en los caracteres particulares de cada persona. El olvido se traduce, por ejemplo, en egoísmo, en insatisfacción, en desolación, en una personalidad influenciable o en tristeza. Estos rasgos son denominados por Bach como «emociones negativas». El recuerdo, por el contrario, se expresa en el coraje, la comprensión, la satisfacción o el amor.

Los deberes del ser humano

Para Bach, el ser humano tiene el deber de reconocer y desarrollar los rasgos característicos de su carácter, los cuales le permitirán ser siempre consciente de su propia individualidad, de tomar el buen camino en la vida y de seguirlo sin dejarse influenciar, de ser comprensivo con el prójimo sin renunciar por ello a nuestros propios deseos.

Generalmente no somos conscientes de estos deberes. Cuando, llegados a una cierta edad, empezamos a conocernos un poco mejor, solo tenemos certeza de que nuestra vida interior está determinada por ciertos estados anímicos recurrentes. Según sea nuestro carácter, nos sentiremos a menudo descorazonados o angustiados, agresivos o insatisfechos, preocu-

El médico inglés Edward Bach se inspiró en la homeopatía tradicional.

pados o nerviosos. A este tipo de estados de ánimo, Bach los denomina «estados emocionales negativos», simplemente porque nacen de «emociones negativas».

Somos capaces de establecer fácilmente la relación de causa y efecto entre nuestro estado emocional y nuestras circunstancias, ya que vivimos diariamente situaciones en las que percibimos con claridad la falta, o ausencia total, de sensaciones positivas. ¿Cuántas veces nos olvidamos de nuestra propia individualidad y nos sentimos inferiores a otras personas? ¿Cuántas veces perdemos de vista nuestros objetivos y nos dejamos convencer por los demás de cargar con tareas para las cuales no estamos verdaderamente capacitados? ¿Cuántas veces nos sentimos descorazonados o amargados porque no conseguimos nuestros deseos egoístas? ¿Cuántas veces nos mantenemos orgullosos en nuestra postura cuando se trata de suavizar un conflicto difícil con los demás y nos sentimos, de repente, solos o incomprendidos?

El amor a la naturaleza y la intuición del Dr. Bach fueron la base de la eficacia de su método.

Esos síntomas anímicos nos señalan que algo no marcha bien en nuestro interior. Nos indican, también, la dirección en la que tenemos que trabajar personalmente.

Si te sientes a menudo desplazado, incomprendido o superado, por ejemplo, te delatarás con el orgullo o el egoísmo. Para Bach, tu deber consistirá en desembarazarte de dicho egoísmo y desarrollar rasgos positivos como la tolerancia o la comprensión.

Pero a menudo pasa que no llegamos a notar dichos sentimientos de desplazamiento, incomprensión o agotamiento. Solo notamos carencias, tensiones internas, y respondemos agresivamente. Sin embargo, esas sensaciones también nos pueden servir porque nos llevan a fijarnos en nosotros mismos y a considerarnos dentro de un contexto más amplio. Únicamente debemos seguir el camino inverso: ir desde esas sensaciones fugaces hasta los más íntimos estados de ánimo, los cuales sufrimos hasta que descubrimos que los rasgos negativos (egoísmo, desesperación o incapacidad de amar) son el origen de todos nuestros conflictos y tensiones interiores.

Desde el instante en que empecemos a desarrollar los rasgos de carácter que nos faltan y a superar nuestros rasgos negativos, muchas de nuestras emociones y sensaciones cotidianas se transformarán.

En resumen

La imagen que Bach tenía del ser humano y las bases de su terapia a través de las esencias florales pueden parecer muy complejas a simple vista.

Para facilitar su comprensión, seguidamente se resumen los diferentes aspectos de su percepción de la humanidad:

> Todos tenemos un origen divino y participamos de la perfección y la armonía divinas.

> Nuestras circunstancias vitales hacen que desarrollemos rasgos de carácter negativos, como el miedo, la desesperanza o el egoísmo. Este tipo de rasgos particulares fueron bautizados por Bach como «emociones negativas».

> Las emociones negativas conducen a síntomas como la ansiedad, la irritabilidad o la desesperanza. Bach los denomina «síntomas emocionales negativos». En general, insistimos en remarcarlos; dichos estados de ánimo están profundamente anclados en nuestro fuero interno.

> Nuestro estado de ánimo traduce, cada día, esas emociones y síntomas, que a veces sentimos de manera confusa, cambiante o difícil de definir, como una tensión interior o una sensación de apatía y desinterés.

La concepción de los lazos que existen entre los diferentes niveles internos del ser humano no debe tomarse al pie de la letra, evidentemente; la fronteras entre los diferentes «niveles» (emociones), sus síntomas y las sensaciones fugaces son muy mutantes. Puede suceder, por ejemplo, que tomes consciencia de un estado de ánimo concreto (supongamos que egoísta) tras un pequeño acontecimiento que haya tenido lugar en tu vida cotidiana. Esa revelación puede asustar en un primer momento. Pero si lo reconoces abiertamente, te permitirá descubrir que esa sensación es la base de un sentimiento de soledad que seguramente estás sufriendo desde hace tiempo, sin saber por qué.

La causa de las enfermedades

Para Bach, las emociones negativas son las causas auténticas de las afecciones corporales. Los síntomas de dichos estados de ánimo pueden, así mismo, ser señales de una enfermedad que ha anidado en nuestro organismo. Por ejemplo, un sentimiento de miedo constante provoca tensiones y crispación interna hasta el punto de interferir en el normal funcionamiento de los órganos. Conducen, tarde o temprano a una úlcera de estómago, a problemas digestivos o a cualquier otra dolencia. No debemos, sin embargo, esperar cruzados de brazos. La enfermedad no aparece necesariamente de inmediato, pero su embrión está presente y se desarrollará si no superamos nuestras emociones negativas.

La terapia ideada por Bach adquiere, pues, una importancia crucial ya que considera que el correcto desarrollo de nuestra personalidad (trabajando nuestro carácter) puede asegurarnos una protección contra afecciones psíquicas.

Esta terapia puede emplearse como apoyo cuando la enfermedad ya se ha declarado, dado que una enfermedad a la que se le suprime el alimento (las emociones negativas) inicia un proceso de regresión o incluso desaparece por completo si la persona cuida bien su salud interna, a condición de que órganos y tejidos no se hayan visto ya afectados (artrosis o cirrosis hepática, por ejemplo).

Beneficios de los elixires florales

La preocupación de Bach era, pues, descubrir remedios naturales capaces de tratar los diferentes estados anímicos de cualquier ser humano. Sus convicciones religiosas le llevaron a creer que en la naturaleza se escondía un remedio para cada dolencia, física o moral.

Bach elaboró procedimientos (página 17) para extraer la esencia de 38 plantas que descubrió. Las experimentó con él mismo y con numerosos pacientes hasta constatar su eficacia.

La toma de elixires florales puede ayudarnos en múltiples ocasiones a reducir o eliminar los síntomas emocionales que surgen de manera temporal o incluso permanentemente.

Si estás angustiado antes de un examen, por ejemplo, puedes tomar una esencia que te permita atenuar dicha emoción y sentirte mejor simplemente porque habrás liberado ansiedad y recuperarás fuerza y confianza en tus propias capacidades. En ese estado anímico, lo más probable es que apruebes el examen.

Si prefieres trabajar en tu desarrollo personal porque te sientes ansioso, sea por un examen inminente, por una discusión importante o por una disputa con tu pareja, la ingesta regular de elixires florales puede ayudarte a sobrellevar los miedos que tú mismo habrás identificado para transformarlos en coraje.

Una ayuda inmediata y una evolución perdurable

Las esencias florales aportan serenidad en ciertas situaciones para dominarlas mejor. También nos ayudan a trabajar con nosotros mismos

La fotografía Kirlian prueba la eficacia de las flores de Bach. En ella se aprecian las imágenes oscilantes de las flores.

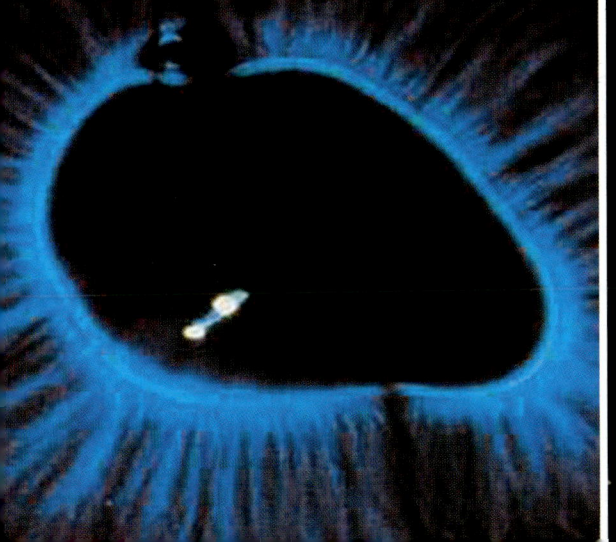
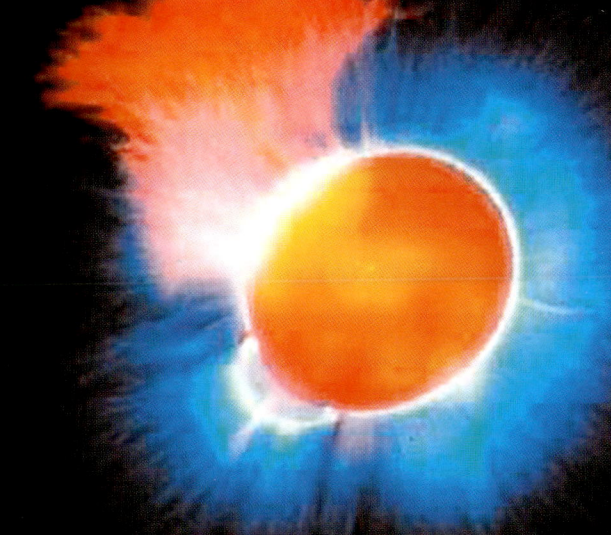

para desarrollar determinados rasgos de carácter de los que carecemos o para subordinar aquellos que nos sobran. Muchas personas tratadas con flores de Bach pueden dar testimonio de una evolución positiva y perdurable en su armonía interior.

Mecanismo y modo de funcionamiento

Si la experiencia demuestra que las flores de Bach pueden actuar directamente sobre el psiquismo de los seres humanos y de los animales, no puede saberse, por el contrario, cómo se producen exactamente los cambios de humor. Las más perfeccionadas técnicas de análisis actuales no evidencian los principios químicos de los elixires florales.

En consecuencia, no podemos más que suponer que los elixires funcionan de forma fisiológica como las disoluciones homeopáticas, es decir, por la transmisión de información.

Para los lectores escépticos: las flores de Bach son eficaces, incluso cuando no se cree en sus poderes curativos. Los bebés, las personas en estado de coma, los animales y las plantas pueden, todos ellos, ser tratados con éxito.

Cuándo emplear las flores de Bach

Las flores de Bach tienen un vasto ámbito de aplicaciones. Son útiles:

> En todos los casos de urgencia.
> En caso de mal estado psicológico o de problemas fisiológicos.
> En la prevención de enfermedades.
> Para reforzar la armonía interior y el desarrollo personal.
> Para tratar a los niños.

Fabricación de elixires

Los elixires siempre se fabrican en Inglaterra siguiendo los dos modelos propuestos por Bach: la dinamización solar y la decocción.

> La primera consiste en recolectar las flores en el apogeo de su floración en un día soleado y con un cielo sin nubes, poniéndolas en un recipiente de vidrio lleno de agua mineral. El recipiente se deja tres o cuatro horas al sol, preferentemente cerca del lugar donde habita la planta. Cuando las flores empiezan a marchitarse, se retiran cuidadosamente. El líquido debe mezclarse inmediatamente con alcohol al 40%. Un poco más tarde, se diluye en agua en una proporción de 1 por 20 y se guarda en frascos para su conservación (stock bottles).

> La segunda se emplea para las flores que se abren en momentos tempranos del año en los que la energía solar es aún insuficiente y no permite el proceso anterior. En estos casos, las flores, los tallos y las hojas de la planta se disponen en una cazuela esmaltada junto con agua mineral y se cuecen a fuego lento durante 30 minutos, hasta que se hayan marchitado. La mezcla resultante, una vez fría, se filtra y se conserva de la misma manera que en el método precedente.

Edward Bach creó el método de la «solarización» para preparar elixires florales.

Guía para la selección de flores

La flor, o la mezcla de flores, que administrar depende de la persona y de la situación a la cual se enfrenta.

Para encontrar las flores que te corresponden, lee con cuidado y calma la descripción de las 38 esencias florales e intenta identificar aquellas que correspondan a tu caso preciso, sometiéndote a un autointerrogatorio previo. Las siguientes páginas exponen detalladamente qué camino seguir para dicha identificación. Este proceso (y en consecuencia la selección de los elixires) no será el mismo según el efecto buscado. Varía en función del ámbito de aplicación de los elixires, los cuales se detallan seguidamente:

> Situaciones de emergencia.
> Estados psíquicos negativos.
> Problemas fisiológicos.
> Prevención de enfermedades.
> Desarrollo personal.
> Dolencias psíquicas o físicas persistentes.

Ve directamente al proceso que corresponda con tu situación o con tus anhelos concretos. Si acabas de vivir un proceso de separación, por ejemplo, y te sientes en un estado de desasosiego afectivo, dirígete al párrafo titulado «Crisis psíquica aguda» para encontrar las esencias correspondientes. La técnica adecuada para escoger correctamente tus flores se explica con detalle. En lo concerniente al tratamiento de niños, dirígete a las páginas 118 a 121.

Situaciones de emergencia

Si necesitas una ayuda inmediata porque has sufrido un golpe emocional o físico y tu equilibrio psicológico ha sido desestabilizado, toma el «remedio de urgencia». Para saber más sobre el empleo de esta mezcla de cinco flores, dirígete al capítulo titulado «Remedio de Urgencia» (página 113).

Estados psíquicos negativos

Si has escogido este tema es porque sientes un profundo malestar sin que ello te impida hablar del tema y expresar tu angustia. El autointerrogatorio indispensable para la identificación de las flores que te convienen no debería ser ningún problema para ti.

Autointerrogatorio

1 Escribe en un papel la siguiente frase:
   > «En este momento me siento…»

2 Completa la frase con todas las palabras que sean necesarias para describir lo mejor posible tu estado de ánimo actual.
Si estás ojeando este libro por primera vez, seguidamente encontrarás un ejemplo práctico que debería ayudarte:

Ejemplo
Si estuvieras viviendo un proceso de separación podrías escribir:

> «Me siento... cansado, triste, desesperado, fatigado, vacío, infeliz, desplazado»

La lista de emociones negativas servirá de base para la selección de las esencias florales más adecuadas en tu situación presente. La selección se hace mediante la ayuda de la lista alfabética situada en las páginas 28 a 47. Buscando la palabra «desesperado», por ejemplo, encontrarás las esencias correspondientes a dicho estado (ver «Cómo usar el catálogo», página 24).

Problemas fisiológicos

Si sufres problemas orgánicos crónicos o agudos, las flores de Bach pueden paliar e incluso mejorar notablemente tu estado.

Como ya se ha dicho, las flores de Bach trabajan sobre la psique. A menudo, los problemas fisiológicos son la consecuencia de sobrecargas psíquicas o de estados emocionales negativos. Si estás sujeto a ansiedades o montas en cólera con facilidad, lo más probable es que acabes sufriendo problemas gástricos o digestivos, por ejemplo. En ese caso, un tratamiento con flores de Bach puede aliviarte. Escoge los elixires que te ayuden a superar sus miedos o a extinguir sus rencores. Los síntomas fisiológicos disminuirán e incluso desaparecerán totalmente. Obviamente, dicha mejoría se producirá si se trata de un problema funcional y no de enfermedades fisiológicas graves en la que los órganos hayan quedado afectados.

También se pueden tratar con flores de Bach los dolores de cabeza, las tensiones, los problemas cardíacos o el insomnio.

Sin embargo, antes de iniciar un tratamiento de automedicación hay que consultar al médico para determinar si los problemas funcionales observados no son de origen orgánico. Si lo son, será indispensable tratar la dolencia con los métodos alopáticos tradicionales. Un dolor de cabeza no siempre es resultado del estrés, ¡puede deberse a un tumor!

Las flores de Bach también pueden servir de ayuda en los casos de afecciones crónicas con alteraciones fisiológicas, como el reumatismo, ya que ese tipo de enfermedades entraña a menudo estados emocionales negativos, como el desánimo o la amargura. La toma de elixires adaptados permite superar dichos estados o, al menos, atenuarlos hasta el punto de sentirse globalmente mejor a pesar de la enfermedad. Para encontrar las flores que te convienen, ve a los párrafos «Estados psíquicos negativos» (pág. 19) y/o «Problemas psicológicos o fisiológicos persistentes» (pág. 22).

Prevención de enfermedades

La idea del Dr. Bach era que nuestro estado de salud es bueno siempre que vivamos en armonía con nosotros mismos, es decir, en un estado en el que nos sintamos bien psíquicamente y donde no experimentemos estados emocionales negativos como la angustia, la preocupación o el desánimo. Esta concepción está actualmente avalada por las investigaciones científicas.

Nuestro sistema inmunitario está ligado a nuestra psique y reacciona a nuestros estados de ánimo. Los pensamientos y las emociones positivas refuerzan, pues, nuestras defensas, mientras que las «ideas negras» las debilitan.

Así, si quieres hacer alguna cosa por tu salud, intenta descubrir cuál es tu estado psíquico. Si tienes a menudo pensamientos o emociones negativas o bien si tienes inclinación a preocuparte por todo o por nada, deberías reforzar tu armonía interior mediante las flores de Bach apropiadas. Para hacerlo, lee el párrafo «Desarrollo personal» que sigue más abajo.

Desarrollo personal

Si has escogido este tema es porque formas parte de ese grupo de personas que se conocen bien a sí mismas, que son conscientes de sus emociones y que son capaces de expresarlas. Para seguir con el desarrollo de tu propia persona, deberás tomar conciencia de los rasgos fundamentales de tu carácter. Esa es la única manera de librearse de modelos de comportamiento y de emociones negativas que subsisten. Un autointerrogatorio honesto te ayudará a reconocer los síntomas emocionales negativos recurrentes y a escoger los elixires adecuados.

Autointerrogatorio

1 Escribe la siguiente frase en un papel:
> «A menudo me siento…»

2 Completa la frase con todas las palabras que sean necesarias y que describan mejor los aspectos negativos recurrentes de tu estado de ánimo.

Ejemplo:
> A menudo me siento…
> Agresivo – impaciente – intolerante – manipulado – incomprendido

La lista de rasgos de carácter refleja una parte de tu persona y sirve de base para la selección de los elixires florales que te ayudarán a avanzar en tu desarrollo personal. La selección se hace con ayuda del catálogo alfabético que se encuentra a partir de la página 28 (ver «Cómo usar el catálogo», página 24).

Problemas psicológicos o fisiológicos persistentes

Si has optado por este párrafo es porque hace ya tiempo que te resientes de cierto malestar, porque notas algunos síntomas físicos o porque han aparecido problemas psíquicos y necesitas ayuda urgente.

Para ayudarte a encontrar tus esencias florales, debes empezar, antes de nada, a determinar lo más claramente posible cuáles son los síntomas emocionales negativos o las debilidades de carácter que te atormentan. Esa tarea no es fácil pero el autointerrogatorio facilita las cosas.

Autointerrogatorio

1 Escribe las siguientes frases en un papel:
> «En este momento me siento…»
> «A menudo me siento…»

2 Completa las siguientes frases con todas las palabras que describan lo mejor posible los aspectos negativos recurrentes de tu estado de ánimo. Intenta ser lo más sincero posible; cuanto más preciso seas en la descripción de tus sentimientos y rasgos de carácter, mejor escogerás los elixires que te correspondan.

Ejemplo:

> «En este momento me siento…»
> Decepcionado – amargado – cansado – hastiado

> «A menudo me siento…»
> Impaciente – asqueado – desesperado – angustiado – celoso

La lista describe tu estado de ánimo actual y, al mismo tiempo, determina los rasgos fundamentales de tu carácter (un mismo adjetivo puede aparecer en varias ocasiones). La selección de los elixires florales se hace con la ayuda del catálogo alfabético que se encuentra a partir de la página 28 (ver «Cómo usar el catálogo», página 24).

Para hacer el autointerrogatorio, necesitarás un poco de tiempo y tranquilidad, pero también el coraje de ser honesto contigo mismo.

Estructura del catálogo

El catálogo es una lista (no exhaustiva) de síntomas emocionales, la mayor parte de ellos negativos, clasificados por orden alfabético. En la columna de la derecha, encontrarás el nombre del elixir o elixires que te ayudarán a superar tu estado.

Este repertorio es muy práctico para encontrar con rapidez las esencias que más convengan, ya que establece una primera selección evitando así tener que leer la descripción completa de todos los elixires. Siendo así, tómate todo el tiempo necesario para leer con calma las explicaciones sobre los fundamentos de la terapia y las descripciones de cada grupo.

Cómo usar el catálogo

Si quieres estrenarte en esta terapia, empieza por familiarizarte con el catálogo. Te darás cuenta de que para toda una serie de síntomas emocionales hay una sola flor prescrita, mientras que para otros hay varias. Eso significa que, según el caso, puede haber una sola flor aplicable o varias de ellas.

Ejemplo:

> Dominio de uno mismo: acebo (*holly*).
> Desestabilizado: ceratostigma, alerce, scletanthus (*cerato, larch, scletanthus*).
> Indeciso: Incertidumbre.

En algunos grupos los estados anímicos se detallan con mayor precisión para permitir una selección más concreta.

Ejemplo:

> Sentirse fácilmente herido o humillado:
1 Porque se esperaba un agradecimiento que no llega: achicoria (*chicory*).
2 Porque nos sentimos desplazados: achicoria, sauce (*chicory, willow*).
3 Porque nos hieren el amor propio: brezo (*heather*).

Si resulta que te corresponden diversas esencias de flores, dirígete a sus descripciones respectivas (a partir de la página 49) con el fin de determinar la que más convenga en tu caso concreto. En general, la lista es amplia cuando el autointerrogatorio comporta varios estados emocionales y/o rasgos de carácter negativos.

Antes de ir a buscar correspondencias a los síntomas negativos que sientes en el catálogo, verifica que las palabras de la lista no describan tu cuerpo ni tu aspecto exterior:

Ejemplo:
> «En este momento me siento… gordo, horrible, feo»

Esos adjetivos son ciertamente negativos, pero no describen estados emocionales y, en consecuencia, no figuran en el catálogo.

Cómo elaborar una lista de síntomas

Una vez que los síntomas emocionales de tu lista hayan sido localizados en el catálogo, coloca el nombre de cada flor o flores delante de cada palabra-clave de tu lista. Puede suceder que alguna de las palabras que hayas empleado para definir tu estado no figure en el catálogo. Intenta, simplemente, reemplazarla por alguna palabra sinónima que veas en la relación.

Todas las flores que se ajusten a tu lista serán aplicables a tu caso. Las esencias que se mencionen varias veces en tu lista son, probablemente, indispensables para ti, pero no olvides que se trata de una preselección y que su empleo no debe ser sistemático. Para determinar cuál es la que te

> El acebo (*Holly*): uno de los elixires fundamentales.

conviene verdaderamente, lee con atención y en su totalidad las fichas descriptivas detalladas (a partir de la página 49). Intenta limitarte a seis o siete esencias ya que la ingesta de más de seis elixires no tiene sentido salvo la primera vez que se toman.

Qué hacer en caso de duda

Podría suceder que no encontraras ninguna flor adecuada o que, por el contrario, encontraras tantas que no supieras cuál escoger.

❯ Si no has encontrado ninguna flor

Si ninguna de las 38 flores parece corresponderte y te encuentras en buen estado de salud y feliz contigo mismo, entonces es que no necesitas el tratamiento de flores de Bach, por el momento.

Pero si te sientes infeliz y crees que necesitas un tratamiento, lo que habrá pasado es que el autodiagnóstico ha sido insuficiente. Podrías pedir ayuda a algún familiar o amigo para completarlo mejor o bien dirigirte a un terapeuta experimentado.

❯ Si en la selección te salen más de siete flores

La literatura antigua sobre la cuestión preconiza una mezcla máxima de entre tres y seis esencias. La experiencia muestra, sin embargo, que nuestro equilibrio emocional se ve fuertemente perturbado por el ritmo cotidiano actual, por ello es posible mezclar hasta diez esencias diferentes en la primera toma.

❯ Si debes reducir el número de esencias intenta concentrarte en las emociones negativas más fuertes.

Su número suele ser, casi siempre, inferior a seis. Completa luego las esencias con dos o tres flores que correspondan a «estados crónicos».

❯ Las esencias florales que corresponden a estados de crisis son,

principalmente: olmo, aulaga, carpe, olivo, heliantemo, castaño dulce y castaño blanco (*elm*, *gorse*, *hornbeam*, *olive*, *rock rose*, *sweet chestnut* y *white chestnut*).

Flores complementarias

La experiencia demuestra que diferentes síntomas derivados de estados emocionales negativos se manifiestan, generalmente, al mismo tiempo. Por ejemplo:

> Miedo a un examen junto con sentimiento de inferioridad.
> Impaciencia junto con intolerancia.
> Desesperación junto con sentimiento de culpabilidad.

Dichos síntomas pueden coexistir simplemente o condicionarse mutuamente. En ambos casos, es conveniente tomar una mezcla de las esencias florales que correspondan ya que su acción será, así mismo, complementaria.

Esto es particularmente importante cuando sólo encuentres una o dos esencias que se correspondan con tu estado. En cambio, si has escogido muchas flores, lo más probable es que las complementarias ya estén dentro de tu selección.

Encontrarás consejos sobre el uso de flores complementarias en las fichas descriptivas a partir de la página 49. Estos consejos son puramente indicativos y no tienen carácter exhaustivo. Tú mismo deberás verificar cuáles son las flores, entre las mencionadas, que más convienen a tu situación. Podría ser que no encontraras ninguna. En ese caso, quédate con las que habías elegido en primer lugar.

Las flores complementarias pueden reforzar el efecto de las flores previamente seleccionadas.

CATÁLOGO

Síntoma emocional	Descripción	Flores
Abandono	› Abandonas con dificultad.	Oak
	› Abandonas rápidamente.	Gentian, Larch, Wild Oat
	› Te abandonas a ti mismo.	Wild Rose
Abatimiento	→ Melancolía	
	→ Depresión	
Acaparador	Acaparas lo que es de otros.	Chicory
Accidentes	Miedo o estados de *shock*.	Star of Bethlehem
Aceptación	› Eres incapaz de aceptarte.	Larch
	› Eres incapaz de aceptar a los demás.	Beech, Vine
	› Eres incapaz de aceptar el destino.	Willow
Acosar	Acosas a los demás con continuos problemas.	Cerato
Acritud		Holly, Willow
Agotamiento	› Tendencia a sobrevalorar tus fuerzas.	Oak, Rock Water, Vervain
	› Te sientes agotado.	
	→ Cansancio	
Agresivo		Holly, Impatiens
Aislamiento	Te sientes fácilmente aislado.	Heather, Impatiens, Water Violet
Al borde de un ataque de nervios	→ Susceptibilidad	
Al límite	Se te acaban las fuerzas.	
	→ Agotamiento	
	→ Desesperación	
Alegría de vivir	Falta de alegría por la vida.	Mustard, Olive, Pine, Rock Water, Wild Rose
Ambición	Eres muy ambicioso.	Rock Water, Vervaine, Vine
	No eres nada ambicioso.	Clematis, Wild Rose
Amistad	Te cuesta hacer amigos:	
	› Porque los adulas en exceso.	Scleranthus
	› Porque siempre quieres mandar.	Vine
	› Porque siempre intentas convencerlos.	Vervain

Síntoma emocional	Descripción	Flores
	› Porque criticas mucho.	**Beech**
	› Porque sólo hablas de ti mismo.	**Heather**
	› Porque eres inaccesible.	**Larch, Mimulus**
	› Porque eres tímido y apocado.	**Water Violet**
Añoranza		**Honeysuckle**
Apartado	Te sientes apartado de las cosas.	**Chicory, Willow**
Apático	→ **Indiferencia**	
Aprovecharse	Intentas sacar lo que puedes de la gente.	**Chicory, Vervain**
Arisco		**Holly**
Arrogante	Das la impresión de ser arrogante.	**Water Violet**
	Consideras a los demás incapaces.	**Beech, Rock Water, Vine**
Asqueado	De la suciedad y del sudor.	**Crab Apple**
Asumir	Te sientes incapaz de asumir responsabilidades:	
	Porque estás agotado.	**Hornbeam, Olive**
	Porque estás desanimado.	**Sweet Chestnut**
	Porque estás deprimido.	
	→ **Depresión**	
Asustadizo	Te asustas por todo.	**Rock Rose**
Atención	Necesitas que te presten atención.	**Chicory, Heather**
Ausente	Siempre pareces ausente:	
	Por estar agotado.	**Olive**
	Por estar obnubilado con ideas fijas.	**White Chestnut**
	Porque sueñas.	**Clematis**
	Por recordar el pasado.	**Honeysuckle**
Autocomplacencia		**Chicory, Heather**
Autonomía	No eres autónomo:	
	Preguntas incesantemente qué debes hacer.	**Cerato**
	No te tienes confianza y pides a los demás que asuman tus tareas.	**Larch**

29

Síntoma emocional	Descripción	Flores
Autoritarismo	No toleras contradicción alguna.	Vine
	Te sientes investido para una misión: quieres convencer.	Vervain
Bloqueo	Te sientes bloqueado.	Honeysuckle, Star of Bethlehem
Cansancio	Por una larga enfermedad o estrés.	Olive
	Por la rutina y lo cotidiano.	Hornbeam
	Por falta de relajación.	Impatiens, Vervain
	Por exceso de trabajo.	Centaury, Oak, Vervain
	Por intentar ser perfecto.	Pine, Rock Water
	Por una labor concreta a cumplir.	Elm
	Por resignación.	Wild Rose
Castillos en el aire	Haces castillos en el aire con facilidad.	Clematis
Cavilar	Tiendes a cavilar.	Honeysuckle
Celos		Chicory, Holly
Centro del mundo	Siempre quieres ser el centro de atención.	Chicory, Heather
Cobardía	→ Miedo	
Cólera	Montas en cólera con facilidad:	
	› Porque las ideas de los demás son diferentes a las tuyas.	Vine, Vervain
	› Porque todo te parece ir muy lentamente.	Impatiens
	› Cuando los demás se equivocan.	Beech
Compadecerse	› Demasiado.	Chicory, Willow, Heather
	› No lo suficiente.	Agrimony, Water Violet, Wild Rose
Compañía	Necesidad de compañía. → Soledad	
Complaciente	Eres muy complaciente porque:	
	› Te sientes inferior.	Larch
	› Temes conflictos.	Agrimony
	› No sabes decir que no.	Centaury

Síntoma emocional	Descripción	Flores
Complejo de inferioridad		Elm, Larch, Pine
Conciencia	A menudo tienes mala conciencia.	Pine
Confianza	Falta de confianza. → **Dudas**	
Confianza en ti mismo	Falta de confianza en ti mismo. → **Complejo de inferioridad**	
Consecuencias de accidentes	Estados de *shock*.	Star of Bethlehem
Consuelo	› Tienes mucha necesidad de consuelo. › No te dejas consolar.	Chicory, Heather Water Violet
Convencimiento	› Te dejas convencer fácilmente. › Quieres convencer a los demás.	Centaury, Cerato, Larch, Scleranthus Chicory, Vervain, Vine
Crisis nerviosa	Te sientes cerca de una crisis de nervios.	Cherry Plum, Oak, Vervain
Crispación	Te sientes crispado y tenso.	Agrimony, Impatiens, Oak, Rock Water, Vervain, Vine

Críticas	› No aceptas las críticas.
	› Sueles ser crítico:
	  – Con los demás.
	  – Contigo mismo.
		Chicory, Larch, Pine
		
		Beech, Chicory, Vine
		Larch, Pine, Rock Water

Crueldad	Con personas o con animales.	Holly, Vine
Culpabilidad	› Piensas que obras mal. › Piensas que los demás obran mal.	Pine Willow
Dar vueltas cabeza	No puedes evitar darle vueltas a la cabeza sobre la misma idea.	White Chestnut
Debilidad	No tienes voluntad. → **Agotamiento**	Centaury, Larch
Decepción	› Cuando el agradecimiento que esperabas nunca llega. › Porque esperabas más de la vida. › Por tus fracasos.	Chicory Willow Gentian
Decidirse	Te cuesta tomar decisiones: › Pero no pides consejo.	Scleranthus

Síntoma emocional	Descripción	Flores
	› Necesitas consejos para hacerlo.	**Cerato**
	› Si ello comporta una pérdida.	**Walnut**
	› Porque no tienes un camino interior.	**Wild Oat**
Dejarse llevar	→ **Agotamiento**	**Clematis, Wild Rose, Wild Oat**
Dependencia	› Dependes de la opinión de los demás.	**Centaury, Cerato, Larch**
	› Haces que la gente dependa de ti.	**Chicory**
Depresión	› Por dificultades o fracasos.	**Gentian**
	› Sin razón aparente.	**Mustard, Wild Rose**
	› Porque te sientes culpable.	**Pine**
	› Porque la vida no tiene sentido.	**Wild Oat**
	› Por falta de esperanza.	**Gorse**
	› Por no poder tomar decisiones.	**Scleranthus**
	› Por un sentimiento de amargura.	**Willow**
	› Por sentirte inferior.	**Larch**
	› Por no poderte deshacer de recuerdos tristes o malos.	**Honeysuckle, Star of Bethlehem**
	› Por haber perdido personas o animales queridos.	**Star of Bethlehem**
Desamparo	› No sabes qué hacer.	**Cerato, Scleranthus, Wild Oat**
	› Tienes miedo a equivocarte.	
	→ **Imponerse**	**Larch**
	› Necesitas el consejo de los demás.	**Cerato**
Desánimo	Te desanimas rápidamente:	
	› Frente a las dificultades.	**Elm, Gentian, Willow**
	› Frente a las novedades.	**Larch**
Desconexión	Te cuesta mucho desconectar de las cosas o tienes ideas fijas.	**White Chestnut, Vervain**
Desequilibrio		**Scleranthus**
Desesperación	› Te sientes desesperado.	**Agrimony, Gorse, Oak, Pine, Swe Chestnut, Wild Rose**
	› Estás desesperado:	
	– Por agotamiento.	**Elm**

Síntoma emocional	Descripción	Flores
	– Por creer que te has equivocado.	Pine
	– Por haber tenido un *shock*.	Star of Bethlehem
	– Por creer que no puedes seguir así.	Sweet Chestnut
Desestabilización	A menudo te desestabilizas.	Cerato, Larch, Scleranthus
Desgarro	Te sientes interiormente desgarrado.	Centaury, Cherry Plum, Scleranthus
Deshonrado	Te sientes deshonrado interior o exteriormente.	Crab Apple
Desorden	› No soportas el desorden.	Crab Apple, Rock Water, Vine
	› Provocas el desorden.	Chestnut Bud, Clematis, Scleranthus
Desorientación		Acleranthus, Wild Oat
Desplazado	En la relación con los demás.	Larch, Mimulus, Water Violet
Despreocupación	Te despreocupas hasta la imprudencia.	Chestnut Bud
Destino	Te compadeces de tu propio destino.	Willow
Desventaja	Te sientes en permanente desventaja.	Willow, Chicory
Dificultad aprendizaje	› Por falta de motivación.	Wild Rose
	› Por miedo al fracaso.	Larch, Mimulus
	› Porque no aprendes la lección con tus errores.	Chestnut Bud
	→ Distracción	
Dificultad relacional	Tus relaciones son difíciles:	
	› Por miedo al rechazo.	Larch
	› Porque das la impresión de estar amargado.	Willow
	› A causa de «barreras interiores».	Water Violet
	› A causa de prejuicios.	Beech
Dimisión	Te sientes dimisionario.	Chicory, Willow
Diplomacia	No eres diplomático o lo eres muy poco:	
	› Porque eres impaciente.	Impatiens
	› Porque eres demasiado directo.	Rock Water, Vine
Disciplina	Eres demasiado duro e inflexible.	Rock Water, Vine
Dispersión	No consigues establecer prioridades.	Crab Apple
Distracción	Te falta atención:	Chestnut Bud

Síntoma emocional	Descripción	Flores
	› Porque vas muy rápido en todo.	**Clematis**
	› Porque le das vueltas a cosas que te han pasado antes.	**Honeysuckle**
	› Porque le das vueltas a las mismas ideas.	**White Chestnut**
	› Porque tienes pensamiento errático.	**Scleranthus**
	› Porque se te ocurren otras cosas.	**Agrimony**
Dominante		**Chicory, Vine**
Dominio de sí	No consigues dominarte.	**Holly**
Dudas	› De ti mismo.	**Larch, Pine**
	› De dar tu opinión.	**Cerato**
	› Del futuro.	**Gentian**
	› De llevar a cabo las tareas cotidianas.	**Hornbeam**
	› De asumir responsabilidades.	**Elm**
	› De la capacidad de los demás.	**Beech, Impatiens, Vine**
Egoísmo	Todo debe ser para ti.	**Chicory, Heather**
Entre la espada y la pared	Te sientes así en las relaciones con la gente.	**Larch, Mimulus, Water Violet**
Envidia		**Holly, Willow**
Escepticismo	› Te esperas lo peor.	**Gentian**
	› No confías en nadie.	**Vine**
Escrupuloso	Eres demasiado escrupuloso.	**Crab Apple, Pine, Rock Water**
Escuchar	No sabes escuchar.	**Heather, Impatiens**
Estar en la luna	→ **Ausente**	
Estrés	› Te estresas tú solo.	**Impatiens, Vervain**
	› Te sientes estresado.	**Elm, Oak**
Evitar	Evitas tomar decisiones.	**Cerato**
Exageración	Haces una montaña de un grano de arena.	**Crab Apple**
Excitación	Te excitas con facilidad.	**Beech, Holly, Impatiens**
Explotación	› Te dejas explotar por los demás.	**Centaury**
	› Te sientes explotado.	**Chicory**
Fallar	› Tienes miedo al fracaso.	**Elm, Hornbeam, Larch, Oak**
	› Te sientes un inepto.	**Pine**

Síntoma emocional	Descripción	Flores
Falta de atención	→ Distracción	
Falta de atractivo	› Te encuentras feo.	Crab Apple, Larch
	› Encuentras a los demás poco atractivos.	Beech
Falta de claridad	No ves claro el camino a seguir.	Wild Oat
Falta de entrenamiento	Te sientes débil y desentrenado.	Hornbeam, Larch, Mustard, Olive, Wild Rose
Falta de interés	› Crees que no tienes interés.	Crab Apple, Larch
	› Crees que la gente no es interesante.	Beech
Falta de tono	→ Falta de entrenamiento	
Fanatismo		Crab Apple, Rock Water, Vervain
Fatiga	A menudo te sientes fatigado.	Clematis, Hornbeam, Oak, Olive, Mustard, Pine, Wild Rose, Vervain
Frustración	Te frustras fácilmente.	Holly, impatiens, Wild Oat, Vervain
Furia	› Eres como la dinamita.	Cherry Plum, Holly
	› Te encolerizas cuando te contradicen.	Vine
Generosidad	Eres demasiado generoso y se aprovechan de ti.	Centaury
Hablar continuamente	› Siempre de tus problemas.	Heather
	› Demasiado rápido.	Impatiens, Vervain
	› Para liberar tensión.	Mimulus
Herido	Te sientes herido.	Chicory, Larch, Willow
Hiperactividad	No paras ni un segundo.	Impatiens, Scleranthus
Hipersensibilidad	Todo te molesta.	Aspen
	→ Susceptibilidad	
Histerismo	› Tiendes a encolerizarte.	Cherry Plum
	› Tienes crisis de llanto.	Chicory
	› Sufres terrores y pánico.	Rock Rose
Hosquedad		Holly
Ideas fijas	→ Rigidez	
Ignorado	Te sientes ignorado por la gente.	Chicory, Heather
Imagen propia	→ Complejo de inferioridad	

Síntoma emocional	Descripción	Flores
Impaciencia	› Cuando las cosas tardan.	**Impatiens**
	› Cuando los demás no comprenden.	**Vine, Chicory**
	› Cuando los demás no se dejan convencer.	**Vervain**
Imponerse	Siempre quieres imponerte:	
	› Sin el menor miramiento.	**Vine**
	› Sutil y precavidamente.	**Chicory**
Imprevisible		**Scleranthus**
Impulsividad	Te comportas impulsivamente.	**Impatiens, Vervain**
Inaccesibilidad	Aparentas ser inaccesible.	**Water Violet**
Incapacidad	Te sueles sentir incapaz.	**Larch, Pine**
Incertidumbre	No estás seguro:	
	› De tomar la decisión correcta.	**Cerato, Scleranthus, Walnut**
	› De tener éxito en el trabajo.	**Elm, Hornbeam**
	› Del camino a tomar en la vida.	**Wild Oat**
	› De hacer las cosas bien hechas.	**Larch, Pine**
	› De que una situación o una decisión sean válidas.	**Gentian**
Incomprensión	Parece que nadie te comprende.	**Chicory, Heather, Willow**
Inconsecuencia	No asumes las consecuencias.	**Centaury, Chestnut Bud, Scleranthus, Wild Oat**
Inconstancia	Eres inestable en tus opiniones y comportamiento.	**Scleranthus, Wild Oat**
Indecisión	→ Incertidumbre	
Indiferencia	La gente y las situaciones te son indiferentes:	
	› Porque te has resignado.	**Wild Rose**
	› Porque estás desesperado.	**Gorse**
	› Porque estás deprimido. → Depresión	
	› Porque estás agotado.	**Olive**
	› Porque piensas ya en el futuro.	**Clematis**
	› Porque vives en el pasado.	**Honeysuckle**

Síntoma emocional	Descripción	Flores
	› Porque estás amargado.	**Willow**
	› Porque solo te interesas a ti mismo.	**Heather**
Inestabilidad	Pareces una persona inestable o te sientes así.	**Scleranthus**
Infelicidad	→ **Depresión**	
Inferioridad	Te sientes inferior.	**Larch, Pine**
Influenciable	Eres influenciable:	
	› Porque no sabes decir que no.	**Centaury**
	› Porque te fundes emocionalmente con los demás.	**Walnut**
	› Por no estar seguro de tu propia opinión.	**Cerato, Scleranthus**
	› Porque no estás seguro de tu capacidad.	**Larch**
	› Porque sacas provecho de todo.	**Agrimony**
Influenciar	Tiendes a manipular a los demás.	**Chicory, Vervain, Vine**
Ingratitud	› Crees que la gente es ingrata.	**Chicory**
	› Eres ingrato.	**Willow**
Iniciativa	No tienes espíritu emprendedor:	
	› Por los fracasos del pasado.	**Gentian**
	› Porque sientes que se te exige demasiado.	**Elm, Hornbeam**
	› Porque te falta confianza.	**Larch**
	› Porque estás deprimido.	**Mustard**
	› Porque te has resignado.	**Wild Rose**
Injusticia	Te sientes injustamente tratado.	**Willow**
	Eres injusto con la gente.	**Beech, Holly, Vine**
Inquietud	Sufres una inquietud perpetua.	**Agrimony, Impatiens, Scleranthus, Vervain**
Insatisfacción	No estás satisfecho:	
	› De ti mismo.	**Larch, Oak, Pine, Rock Water, Wild Oat**
	› De los demás.	**Beech, Chicory, Willow**
Inoportuno	Das mucho la lata.	**Chicory, Heather, Vervain**
Insistente	En las relaciones con los demás.	**Holly**

37

Síntoma emocional	Descripción	Flores
Insomnio	No puedes conciliar el sueño:	White Chestnut
	> Porque te asusta la oscuridad.	Aspen, Mimulus
	> Porque estás muy irritado.	Holly
	> Porque temes por los seres queridos que están fuera de casa.	Red Chestnut
	> Porque tienes miedo de un examen.	Larch, Mimulus, Rock Rose
	> Porque te sientes culpable.	Pine
	> Porque trabajas en exceso.	Elm, Oak
	> Porque estás muy nervioso.	Impatiens
Insoportable	Te sientes insoportable.	Larch
	Sientes que la gente es insoportable.	Beech
Interés	No le encuentras interés a nada.	
	→ Indiferencia	
Intolerancia	Eres intolerante con los demás.	Beech, Impatiens, Vervain, Vine
Introversión		Agrimony, Oak, Water Violet
Irascibilidad		Cherry Plum, Holly
Irresoluto	→ Incertidumbre	
Irritable	Te irritas con facilidad.	Holly, Impatiens
Irritación	→ Irritable	
Laxitud		
Lentitud	Eres lento en tus quehaceres:	
	> Por falta de motivación.	Gentian, Hornbeam, Wild Rose
	> Porque estás cansado.	Olive
	> Porque te molestan continuamente.	Agrimony, Scleranthus
	> Porque eres muy puntilloso.	Rock Water
	> Porque quieres hacer muchas cosas al mismo tiempo.	Crab Apple, Wild Oat
Lloriquear	Te quejas mucho y lloriqueas.	Chicory, Heather
Lunático		Holly, Scleranthus
Mal de amores	> Los exageras.	Agrimony
	> Te impiden dormir.	White Chestnut

Síntoma emocional	Descripción	Flores
	› Minimizan tu amor propio.	Larch
	› Te sumergen en la desesperación.	Sweet Chestnut
	› Comportan celos y amargura.	Holly, Willow
Mala disposición	› Hacia ti mismo.	Larch
	› Hacia la gente.	Beech, Willow
	› Habitualmente.	Gentian
	› Pasajeramente.	Holly
Mala suerte	Tienes mala pata, te persigue la mala suerte.	Willow
Maleable		Agrimony, Centaury, Larch
Malhumor	→ Falta de entrenamiento	Mustard
Malvado	Te sientes malvado.	Holly
Manipular	→ Influenciar	
Melancolía		Gentian, Honeysuckle, Mustard, Willow
Memoria	No memorizas casi nada.	Chestnut bud, Clematis, Olive
Mezquino		Gentian, Honeysuckle, Mustard, Willow
Miedo	Tienes miedo a:	
	› Cosas o situaciones concretas.	Mimulus
	› Herir a alguien.	Centaury
	› Hacerte daño o dañar a los demás.	Cherry Plum
	› Afrontar un rechazo.	Centaury, Larch
	› Contaminarte o ensuciarte.	Crab Apple
	› Ser censurado.	Larch
	› Al ruido.	Mimulus
	› Hacer una chapuza.	Larch, Mimulus
	› Hacerte un lío.	Aspen
	› Perder la sangre fría.	Cherry Plum
	› Fracasar.	Larch
	› Algo irracional, vago e inexplicable.	Aspen

Síntoma emocional	Descripción	Flores
Militante	Intentas permanentemente convencer a la gente.	Vervain
Minimizar	› Minimizas tus problemas frente a los de la gente.	Agrimony
	› Desprecias tus propias realizaciones.	Larch
Miserable	Te sientes miserable.	Clematis, Hornbeam, Mustard, Olive, Willow
Necesidad de armonía	No quieres herir a nadie.	Centaury
	Te sientes físicamente mal cuando discutes.	Agrimony
Nervios	› Porque estás preocupado.	Agrimony, Red Chestnut
	› Porque eres impaciente.	Impatiens
	› Porque estás estresado.	Elm, Oak
	› Porque tienes miedo.	Mimulus, Rock Rose
Nervioso	→ Insomnio	
	→ Fatiga	
Nimiedades	Te ofendes por nimiedades.	Crab Apple, Beech
No atreverse	→ Complejo de inferioridad	
No fiarse	› De la vida.	Aspen, Gentian
	› De tus propios sentimientos.	Cerato
	› Porque tienes miedo.	Mimulus
	› Porque no confías en ti mismo.	Larch
	› A causa de malas experiencias.	Honeysuckle, Star of Bethlehem
No imponerse	No consigues imponerte porque:	
	› No te fías de tu propia opinión.	Cerato
	› No te gustan los conflictos.	Agrimony
	› No confías en ti mismo.	Larch
	› Temes herir a alguien.	Centaury
	› No sabes decir que no.	Centaury
Nulo	Te sientes anulado.	Larch, Pine
Obsesiones	Piensas sin parar en las mismas ideas.	White Chestnut
Obstinación		Chicory, Rock Water, Vervain, Vine

Síntoma emocional	Descripción	Flores
Odio	Desarrollas con rapidez el sentimiento del odio.	Holly, Willow
Odioso		Holly
Olvidos	Olvidas las cosas porque:	
	› Rechazas las cosas.	Agrimony
	› Te cuesta aprender.	Chestnut Bud
	› Te pones a soñar.	Clematis, Honeysuckle
	› Estás fatigado.	Olive
	› Has sufrido un *shock*.	Star of Bethlehem
Opresión	› Te dejas oprimir por la gente.	Centaury, Larch, Walnut
	› Oprimes a los demás.	Chicory, Vine
Orgullo	Eres orgulloso.	Beech, Vine, Water Violet
Oscilante	→ Incertidumbre	
Oscilar	→ Vacilar	
Pánico	→ Miedo	
	→ Terror	
Perder la cabeza	Tienes miedo a perder la razón.	Cherry Plum
Perder el tiempo	› Con pensamientos vagabundos para olvidar tensiones y preocupaciones.	Agrimony
	› Repasándolo todo para que no haya errores.	Scleranthus
Pérdida	› No encuentras consuelo tras una pérdida.	Honeysuckle
	› La muerte de una persona o animal queridos te trae problemas.	Star of Bethlehem
Perdido	Te sientes perdido.	Gorse, Sweet Chestnut
Perfeccionista		Crab Apple, Oak, Rock Water, Vine
Perseverancia	› No eres perseverante.	Gentian, Scleranthus, Wild Oat
	› No renuncias jamás.	Oak, Rock Water, Vervain
Pesadez	› Te sientes anímicamente pesado.	Hornbeam
	› Te sientes físicamente pesado.	Olive

Síntoma emocional	Descripción	Flores
Pesadillas	Tienes pesadillas:	
	› Por culpa de acontecimientos terribles.	Rock Rose, Star of Bethlehem
	› Por sentirte culpable.	Pine
	› Sin razón aparente.	Aspen
Pesimismo	Siempre te esperas lo peor:	Gentian, Willow
	› Porque te agobia todo el mundo.	Elm
	› Porque no tienes sangre.	Gorse
	› Porque has pasado por experiencias nefastas.	Honeysuckle
	› Porque estás amargado.	Willow
Piedad	› No sientes piedad por nadie.	Vine
	› Te apiadas de ti mismo.	Chicory, Heather
Placidez	Te falta placidez:	
	› Porque eres intolerante.	Beech
	› Porque eres impaciente.	Impatiens
	› Porque tienes miedos.	Mimulus, Rock Rose
	› Porque te crees investido para una misión.	Vervain
Poca fiabilidad		Scleranthus, Walnut, Wild Oat
Poca habilidad	› Te sientes torpe.	Clematis, Larch
	› Das la impresión de ser torpe.	Water Violet
Poder	Amas el poder.	Chicory, Vine
Posponer	› Tiendes a posponer tus tareas para otro momento.	Hornbeam
	› Pospones la toma de decisiones.	Cerato, Larch
Precipitación	Tus reacciones son precipitadas:	
	› Porque estás angustiado.	Aspen, Mimulus
	› Porque eres impaciente.	Impatiens
	› Porque dudas.	Scleranthus
Preocupación	Siempre estás preocupado:	
	› Por el bienestar de los demás.	Chicory, Red Chestnut

Síntoma emocional	Descripción	Flores
	› Por tu propia seguridad.	Heather, Rock Water
	› Por nimiedades.	Crab Apple
Presentimientos	Tienes pálpitos y haces malos augurios.	Aspen
Pretencioso	→ Arrogancia	
Problemas	› Siempre tienes los mismos problemas.	Chestnut Bud
	› Te sientes descorazonado por las dificultades.	Gentian
	› Nunca encuentras ayuda cuando tienes un problema.	Oak
Quisquilloso	› Todo debe ser siempre perfecto.	Beech, Crab Apple, Rock Water
	› Eres puntilloso de pensamiento y de obra.	Cerato, Chicory, Crab Apple
Rechazar	› No sabes rechazar, eres débil.	Centaury
	› Te rechazas a ti mismo.	Crab Apple, Larch
	› Rechazas todo lo que es diferente.	Beech
Rechazo	Tienes miedo a ser rechazado. → Miedo	
Recluido	Te sientes atrapado en tu mal humor.	Chicory, Star of Bethlehem, Willow
Reconocimiento	Necesitas reconocimiento.	Chicory, Larch
Relajarse	Te cuesta mucho relajarte.	Vervain, Rock Water, Impatiens
Remordimientos		Pine, Rock Water
Rencor		Chicory, Honeysuckle, Willow
Reproches	Siempre haces reproches a la gente.	Beech, Chicory, Impatiens, Willow
Reservado		Larch, Mimulus, Water Violet
Resignación	› No tienes alegría de vivir.	Wild Rose
	› Añoras tiempos pasados y felices.	Honeysuckle
	› No confías en que nada cambie.	Gorse
	› Te sientes completamente agotado.	Olive
	› Has sufrido un *shock* grave.	Star of Bethlehem
	› Te sientes deprimido.	Mustard
	› Te sientes hecho polvo.	Elm, Hornbeam, Oak
Responsabilidad	Quieres asumir todas las responsabilidades.	Oak

Síntoma emocional	Descripción	Flores
Rigidez	De pensamiento o de obra.	Beech, Oak, Rock Water, Vervain, Vine
Sabelotodo	Crees que lo sabes todo sobre todas las cosas.	Vervain, Vine
Sacrificio	Te sacrificas demasiado por los demás.	Centaury, Chicory
Sensibilidad	Eres demasiado sensible:	
	> A las críticas.	Centaury, Larch
	> Al ruido.	Agrimony, Centaury, Holly, Walnut
	> A las influencias externas.	Aspen, Mimulus
	> A las disputas.	Agrimony, Mimulus
	> A cosas sin importancia.	Crab Apple
Separarse	Llevas mal las separaciones:	
	> Por miedo a herir a alguien.	Centaury
	> Por miedo a quedarte solo.	Larch, Mimulus
	> Porque te sientes culpable.	Pine
	> Por miedo a equivocarte.	Cerato, Larch, Mimulus
	> Porque no consigues desligarte.	Honeysuckle
Servil	Eres muy servil:	
	> No sabes decir que no.	Centaury
	> Te sientes responsable de los demás.	Oak
	> Nunca esperas gratitud como contrapartida.	Chicory
Severidad	> Contigo mismo.	Rock Water
	> Con los demás.	Beech, Chicory, Vine
Sin ambición		Wild Oat
Sin concentración	→ Distracción	
Sin coraje	→ Desánimo	
Sin energía	Pierdes la energía muy rápido y te desanimas.	Gentian, Larch
Sin fuerzas	→ Agotamiento	

Síntoma emocional	Descripción	Flores
Situaciones traumáticas	Y sus consecuencias.	Star of Bethlehem
Sobrecargado	› Tiendes a sobreestimar tus fuerzas.	Oak, Rock Water
	› Te sientes sobrecargado.	Vervain
	→ Agotamiento	
Soledad	› No quieres estar solo.	Agrimony, Chicory, Heather
	› Necesitas estar solo.	Clematis, Impatiens, Water Violet
	› Te sientes solo.	Chicory, Heather
	› Estás solo por tu actitud.	Crab Apple, Heather, Impatiens, Mustard, Water Violet
Solicitado	Te sientes demasiado solicitado, sobrecargado.	Elm, Hornbeam, Larch, Oak, Olive
	→ Agotamiento	
Soltar Amarras	› No consigues pasar de:	
	› Los recuerdos.	Honeysuckle
	› Alguna idea.	White Chestnut
	› La familia.	Chicory
	› Tus sentimientos.	Cherry Plum
Sombrío	Te sientes sombrío, sin alegría:	
	› Porque te haces reproches.	Pine
	› Porque te preocupas demasiado por los demás.	Chicory, Red Chestnut
	› A causa de una disciplina muy severa.	Wild Oat
	› Porque no le encuentras sentido a la vida.	Rock Water
Sonrojarse	Te sonrojas rápidamente.	Mimulus, Larch
Sucio	Te sientes sucio por el entorno, la comida o el contacto con la gente.	Crab Apple
Suicidio	Tienes ideas suicidas.	Agrimony, Cherry Plum, Clematis, Gorse, Mustard, Sweet Chestnut

45

Síntoma emocional	Descripción	Flores
Superficial	› En las relaciones con los demás.	Heather
	› Impresión que das por esconderte tras una fachada jovial.	Agrimony
	› Por tu actitud apurada e impaciente.	Impatiens
Superstición		Aspen
Susceptibilidad	→ Sensibilidad	
Taciturno	→ Sombrío	
Temor a los conflictos	› No sabes resolver conflictos.	Agrimony
	› Eres incapaz de defender tu opinión.	Centaury, Cerato
	› Crees que los demás tienen siempre la razón.	Pine
	› Te consideras incompetente.	Larch
Tenacidad	→ Soltar Amarras	
Tener la última palabra	Siempre quieres tener razón.	Vine
Tensión	Sueles sentirte tenso.	Chicory, Impatiens, Rock Water, Vervain, Vine
Terror	Tiendes a tener terrores y pánico.	Aspen, Rock Rose
Timidez		Larch, Mimulus
Tiranía		Chicory, Vine
Torpeza	Eres un manazas.	Clematis
Tosquedad	› No tienes ningún miramiento con los demás.	Holly, Impatiens, Vine
	› No tienes miramientos contigo mismo.	Impatiens, Oak, Rock Water
Trabajo	› Eres incapaz de desconectar del trabajo.	Rock Water
	› Te cuesta ponerte a trabajar.	Crab Apple, Hornbeam
Tragedia	Todo te lo tomas muy a pecho.	Gentian, Larch, Rock Water
Trauma	→ Situaciones traumáticas	
Tristeza	→ Depresión	
Vacilar		Cerato, Gentian

Síntoma emocional	Descripción	Flores
Vanidad	› Te consideras un modelo para los demás.	Rock Water
	› Jamás dudas de ti mismo.	Heather, Vine
	› Intentas culpar a los demás.	Willow
Vejación	Te sientes fácilmente vejado o herido:	
	› Porque esperas un agradecimiento que no llega.	Chicory
	› Porque te sientes desplazado.	Chicory, Willow
	› Porque te hiere el amor propio.	Heather
Venganza		Holly
Versatilidad	Cambias a menudo de parecer: → **Poca fiabilidad**	Scleranthus
Victimismo	Siempre tienes la sensación de ser la víctima.	Willow
	Te sacrificas por todos aunque nadie te lo pide.	Chicory

Las flores de Bach
de la A a la Z

En este capítulo encontrarás una descripción

detallada de los estados emocionales

correspondientes a las 38 esencias de flores de

Bach. Tómate el tiempo necesario para leer todas

las descripciones completas. Si encuentras una

esencia que te convenga, reconocerás de inmediato

en ti mismo los síntomas anímicos que le

correspondan. El párrafo titulado «Cómo orientar

positivamente tu vida» te incitará a trabajar en tu

propio desarrollo, de forma que potenciarás aún

más el efecto de los elixires florales. Las flores

están catalogadas por orden alfabético en inglés,

ya que esta es la lengua en la que tradicionalmente

se comercializan (como marca registrada).

AGRIMONY – Agrimonia

>> Saldremos ganando más si nos mostramos tal y como somos que intentando parecer lo que no somos <<

La Rochefoucauld

¿Intentas evitar conflictos y disputas, siempre que puedes, porque esas situaciones te ponen enfermo? ¿Muestras un aspecto jovial, a menudo, cuando no te sientes bien? ¿Tiendes a pasar un poco de los problemas para no perder la calma? ¿Te sientes mejor en compañía que solo? ¿Te resulta incómodo que te echen en cara tus dificultades, tus debilidades, tus enfados y tus frustraciones? ¿Tienes

La Agrimony mejora la capacidad para resolver conflictos.

ideas que te atormentan pero jamás las comentas con nadie?

En ese caso, formas parte, sin duda, de ese grupo de personas que hacen del refrán «al mal tiempo, buena cara» un principio de vida, ya que entiendes que tu vida interior solo te pertenece a ti. Esta divisa te permite vivir relativamente bien pero te cuesta mucha energía y te obliga a estar completamente solo por dentro. En realidad, no tienes a nadie con quien compartir tus preocupaciones o tus angustias porque no permites que nadie entre en tu mundo interior. Para ti, las dificultades y las debilidades son como taras que es mejor ocultar a los demás. Como consecuencia de ello, no puedes ser verdaderamente sincero porque te ves obligado a vivir una permanente «representación». Eso exige mucha energía y concentración y el precio a pagar suele ser una buena cantidad de tensiones físicas y psíquicas.

Para las personas de este tipo, la soledad es el peor de los castigos porque si su fachada cae, se encuentran cara a cara con sus problemas, sin protección alguna. Esta situación les resulta tan desagradable como las explicaciones que se ven obligados a dar a los demás para tratar de evitarlos. La mejor manera que encuentran para no enfrentarse consigo mismos es la búsqueda permanente de compañía y/o el alcohol.

Cómo orientar positivamente tu vida

La Agrimony te ayudará a encontrar, progresivamente, el coraje para abrirte a los demás, a atreverte a hablar con los demás de tus debilidades y de tus dificultades. Verás entonces como nadie te juzga ni te recrimina por ello. Te sentirás, así, liberado de un gran peso, reconfortado, y entenderás que puedes ir por la vida sin máscaras.

Toda la energía que empleabas para mantener la fachada será liberada y te convertirá en una persona más fuerte cuando te enfrentes a conflictos con los que te rodean.

Flores complementarias (página 27): Larch, Mimulus, White Chestnut.

> El Aspen ayuda contra los miedos y los presentimientos irracionales.

ASPEN – Álamo temblón

El miedo llamó a la puerta, la confianza abrió: no había nadie fuera

Proverbio chino

¿Tienes miedo a la oscuridad o cuando estás solo? ¿Llegas a tener, en ocasiones, sudor frío y a sentir un sentimiento de pánico irracional? ¿Te despiertas sudando por una pesadilla? ¿Te refugias en un rincón de la cama paralizado por el miedo, con palpitaciones, oyendo pasos por la escalera o ruidos en casa?

Si es así, formas parte de ese grupo de personas que saben lo que es temblar de miedo a causa de un pánico que surge sin razón aparente que puede, en casos extremos, ir acompañado de sudores fríos y temblores.

Las tentativas de comentar dicho problema con la gente suelen fracasar ya que tu interlocutor acaba por decirte alguna cosa parecida a «sí que estás mal» o «eso es pura imaginación».

Conoces esos miedos desde tu más tierna infancia. Ya de pequeño no conseguías dormir si no era con la lamparilla encendida y te asustaba seriamente todo lo relacionado con fantasmas y espíritus.

Igual que las diáfanas hojas del álamo temblón, que se mueven con el suave soplo de la menor brisa, tú reaccionas más que nadie ante los signos de tu propio inconsciente y las vibraciones de los demás. El flujo de información que te invade te sumerge en un caos en el que eres incapaz de identificar los diferentes mensajes. Entre los seres sensibles e inestables los sentimientos de miedo nacen, a menudo, de sensaciones que se experimentan sin poderlas clasificar ni explicar.

Cómo orientar positivamente tu vida

El Aspen te ayudará a reaccionar pausada y detenidamente a ese flujo de información. Serás así capaz de ordenar los diferentes mensajes y de sacar conclusiones concretas. Los miedos irracionales desaparecerán entonces y te sentirás seguro de ti mismo y fuerte.

Flores complementarias (página 27): Mimulus, Rock Rose.

BEECH – Haya

>> Una crítica sin amor es como una espada que mutila al adversario al tiempo que mutila a su propio señor «

Christian Monrgenstern

¿Te sorprendes a veces diciendo «¡No me lo puedo creer!»? ¿Te cuesta aceptar personas o situaciones que no se corresponden con tu forma de pensar? ¿Contemplas con cierta indiferencia la vida y los acontecimientos cotidianos? ¿Captas con facilidad los defectos y debilidades de la gente? ¿Tienes un espíritu crítico muy desarrollado, gracias al cual puedes concluir con rapidez cómo hacer mejor las cosas?

Si las respuestas son afirmativas, se puede decir que tienes un agudo sentido de la observación, pero también eres intolerante. A la mayoría de las personas les cuesta mucho admitir este defecto; también ocurre que algunos no son conscientes de serlo por falta de conocimiento personal. Si es este tu caso, conviene que prestes atención a los prudentes consejos de tus amigos y verifiquen cuidadosamente si son justos.

El problema de la gente intolerante es que cree que sus ideas son las únicas válidas. Encuentran inaceptable cualquier divergencia y rechazan o condenan la opinión de los demás.

Igualmente, admiten mal las situaciones que se alejan de lo que se esperaban.

Evidentemente, todo el mundo tiene derecho a opinar positiva o negativamente sobre las cosas, a decidir si le gustan o le disgustan, pero debemos aprender a aceptar que haya gente que piensa diferente. Algunos, por ejemplo, solo entenderán una velada en la ópera vestidos de etiqueta, mientras que otros considerarán unos vaqueros prendas más que suficientes. Dicha diferencia de atuendo puede disgustarnos e incluso ofendernos, consciente o inconscientemente, pero jamás debería llevarnos al extremo de juzgar, censurar o humillar a los que se alejan de nuestro parecer. La verdad es que todos tenemos defectos y debilidades, aunque no siempre las veamos o no las queramos ver.

Cómo orientar positivamente tu vida

La esencia de Beech nos ayudará a abrir los ojos a nuestros propios defectos; al mismo tiempo, nos permitirá desarrollar tolerancia y generosidad hacia los demás o en situaciones difíciles.

Ejercítate en percibir las cosas buenas, los rasgos de carácter positivos y las cualidades de las personas y de las cosas en lugar de fijarte solo en lo malo. Te asombrarás de los resultados.

Flores complementarias (página 27): Impatiens, Holly, Rock Water, Vervain, Vine, Water Violet, Willow.

El Beech favorece la aceptación de las personas y las situaciones difíciles.

CENTAURY – Centáurea

>> Un "no" deliberadamente aplicado ahorra muchos disgustos <<

Proverbio

¿Formas parte de ese grupo de personas tan serviciales que son incapaces de rechazar un favor a los demás? ¿Te conocen por tu buen corazón? ¿Te cuesta decir que no aun sabiendo que hacer ese favor te puede meter en un lío (en una situación financiera delicada, por ejemplo)? ¿Te sientes a menudo cansado, superado o explotado y, sin embargo, eres incapaz de rechazar los servicios que se te piden por miedo a herir a alguien?

Este comportamiento suele ser el resultado de una lección aprendida durante la infancia: «Si no haces lo que te pido eres malo y no te quiero». Los que han sido educados así no saben negarse a ninguna solicitud porque sienten un miedo inconsciente a que las personas a las que nieguen un servicio se les vuelvan en contra o les retiren su amistad; son, en consecuencia, muy influenciables y tienen dificultades para vivir su vida en plenitud.

Este problema (no saber decir que no) puede conducirles a no hacer lo que es bueno o necesario para ellos

> La Centaury refuerza la facultad para saber decir que no.

mismos. Les ocurren cosas como por ejemplo ir de vacaciones con su pareja a un lugar que no les gusta en absoluto, o bien hacerse cargo de un negocio familiar que no les interesa para nada, en lugar de poderse dedicar a la profesión que siempre han querido.

Si eres de esta clase de personas, tienes problemas para imponerte y dar tu opinión, incluso en las situaciones cotidianas y en cuestiones banales. El resultado es que nunca te preguntas por tus propios deseos y necesidades; no los dejas emerger porque crees que no vas a tener la fuerza necesaria para imponer tu voluntad. Cuando este problema se agrava, no es de extrañar que pierdas la alegría de vivir.

Cómo orientar positivamente tu vida

La Centaury te ayuda a desarrollar paulatinamente la capacidad para negarte a ciertas cosas, incluso las de menor importancia como cuando vas de compras. Empieza por decir un «no» categórico a una vendedora que insiste en venderte un producto que no te interesa en absoluto; o, a una amiga que te da la tabarra por teléfono, le respondes simplemente «No, hoy no tengo ganas, quizá en otro momento», sin tener que justificarte por la negativa.

Te asombrarás al ver que nadie te rechazará por expresar tu opinión con franqueza. En el momento en que aprendas a negar cosas podrás vivir tu vida a tu manera, según tus propias necesidades sin preocuparte tanto por lo que digan los demás.

Flores complementarias (página 27): Cerato, Chestnud Bud, Honeysuckle, Larch, Mimulus.

CERATO – Ceratostigma

>> Un buen consejo es, en el corazón de un hombre, como las aguas profundas: el que es inteligente se empapa «

Proverbio judío

¿Pides consejo a los demás con frecuencia? ¿Tienes dudas a la hora de tomar una decisión? ¿Haces sondeos privados en tu entorno con preguntas como «qué harías tú en mi lugar»? ¿Te dejas convencer fácilmente por la opinión de la gente dándote

El Cerato te ayuda a tomar conciencia de tu voz interior y a seguirla.

cuenta, al final, que hubiese sido mejor hacer lo que en principio pensabas tú mismo? Imagina que quieres comprar un pantalón; hay un modelo azul que te gusta, pero acabas por comprar uno verde siguiendo los consejos de la dependienta; luego, en tu casa, delante del espejo, te das cuenta de que el pantalón azul te gustaba mucho más.

Y este es solo un ejemplo. De hecho, tú siempre tienes una opinión clara de las cosas, pero no la tienes en cuenta; tienes mucha intuición y podrías tomar decisiones acertadas, pero te falta confianza en ti mismo, así que siempre te preguntas si no te estarás equivocando, empiezas a dudar cada vez más sin fiarte de tu propio criterio y seguirlo hasta el final.

Cómo orientar positivamente tu vida

El elixir de Cerato te ayudará a darle una oportunidad a tu intuición, a coger el toro por los cuernos y seguir hasta las últimas consecuencias. Cada vez que tengas que tomar una decisión, escucha tu propio cuerpo. Para ello, lo ideal sería sentarte, cerrar los ojos e imaginar las consecuencias de dicha decisión. Si con la conclusión te sientes bien, entonces adelante; si no, entonces toma otra decisión. El Cerato te ayudará a sen-

tirte seguro en la toma de decisiones. Decisión tras decisión, te asombrarás al ver que tu voz interior es tu mejor consejero.

Flores complementarias (página 27): Chestnut Bud, Larch, Mimulus.

CHERRY PLUM – Cerasifera

> Cada momento de crisis tiene sus peligros, pero también sus oportunidades
> Martin Luther King

¿Temes tus propios ataques de furia? ¿Tienes tendencia a ser un polvorín o a no poder dominarte? ¿Te asustan tus crisis violentas? ¿Temes perder el control de tus emociones y acabar haciéndote daño a ti mismo o a terceras personas? ¿O quizá tienes miedo de ser una olla a presión a punto de estallar o de sufrir una severa crisis de nervios?

En este caso, formas parte de esas personas que no son capaces de exteriorizar sus sentimientos inmediatamente, tragándote toda la cólera y la ira el mayor tiempo posible. Vas notando que una presión interior aumenta cada vez más y temes que los sentimientos reprimidos acaben manifestándose violenta y destructivamente, igual que un dique que cede ante la presión del agua de un pantano. A veces es un detalle de lo más insignificante el que desencadena una crisis de tales dimensiones.

Quizá hayas aprendido en tu más tierna infancia a reprimir tus emociones. Cuántas veces, por ejemplo, vemos a niños desbordantes de alegría obligados a frenar su explosivo ardor para no molestar a esos vecinos que no soportan el menor ruido. Entre las personas emotivas, los mecanismos de represión conducen a menudo a un «atasco de sentimientos».

Sin duda es por este motivo que temes que un día explote todo, que tus mecanismos de control se averíen y tus emociones se liberen brutalmente.

Cómo orientar positivamente tu vida

El Cherry Plum te ayuda a eliminar los bloqueos progresivamente. Aprenderás a mostrar y expresar tus sentimientos en cada momento, incluso en el ámbito sexual.

Eso no significa que hayas dejado de ejercer cualquier tipo de control, sino que podrás retener o mostrar tus emociones a conveniencia. Te irá todo mucho mejor y tu entorno también lo agradecerá.

Flores complementarias (página 27): Honeysuckle, Star of Bethlehem.

El Cherry Plum facilita la exteriorización de las emociones en lugar de reprimirlas.

CHESTNUT BUD – Brote de castaño

>> Cuando se tiene mala memoria, los errores se repiten sin cesar <<

Pensamiento indio

¿Perteneces al grupo de gente que se estresa cuando espera algo? ¿Aunque te tomes tiempo de antelación tienes miedo de llegar tarde? Sientes que siempre hay algo o alguien que llega para interponerse en tu camino o interrumpirte: una llamada de teléfono, un compañero de trabajo, un vecino, una tarea que debes acabar inmediatamente…

El Chestnut Bud favorece la capacidad para aprender de errores pasados.

¿Vas de vacaciones siempre al mismo sitio aunque te fastidie y cada vez acabes jurando que nunca volverás? ¿Te cuesta memorizar las cosas? ¿Acabas encontrándote siempre en la situación que intentabas evitar? Como olvidar a menudo las llaves o el DNI, por ejemplo. Las personas de tu entorno tienen la sensación de que no aprendes de tus propios errores ni de las experiencias negativas. Puede que sea debido a que te prometes a ti mismo que esta vez será la última pero luego te faltan la energía y la motivación para ejecutar tus buenos propósitos. Incluso podría darse el caso de que no te tomaras con suficiente seriedad ni a ti mismo ni lo que te concierne.

Cómo orientar positivamente tu vida

La experiencia demuestra que las situaciones tienden a repetirse hasta que aprendemos a evitarlas. Nos enfrentamos al mismo problema hasta que somos capaces de sacar conclusiones y añadirlas a nuestro desarrollo personal. La esencia de Chestnut Bud te ayuda a comprender tu comportamiento asumiendo tus errores y positivándolos.

Flores complementarias (página 27): Larch.

CHICORY – Achicoria

>> La generosidad es, a menudo, el aspecto que toma nuestro egoísmo cuando aún no le hemos puesto nombre <<

Marcel Proust

¿Te preocupas sin cesar por tu pareja o tu familia? ¿Temes que tus hijos, una vez adultos, no se preocupen tanto por ti? ¿Tienes la sensación de que todos tus desvelos por los demás no son reconocidos en su justa medida? ¿Te sientes poco querido y explotado? En ese caso, compartes el destino de todos esos padres que están dispuestos a sacrificarse hasta el extremo por su prole. Pero también puede decirse que tienes una concepción muy rígida del bien y del mal que intentas inculcar a tu familia o a los que te rodean; y cuando tus solícitos consejos, sin duda bien intencionados, no se siguen al pie de la letra, te sientes decepcionado, frustrado e infeliz. Al sentimiento de decepción le suele seguir la sensación de que te están explotando porque no recibes la menor gratitud por el sacrificio que haces por ellos. Obviamente, el amor y la gratitud son particularmente importantes para ti. Te gustaría estar constantemente con tu familia y lo que tú entiendes como un deber paternal o maternal natural, como influir en tus hijos por su propio bien,

> La Chicory ayuda a dar más libertad a los hijos o a la pareja.

es percibido por ellos como un peso insoportable y te ven como una persona posesiva. Y ese es realmente el problema, porque muchos padres intentan, como acto de generosidad y por sentido del sacrificio, establecer lazos emocionales con sus hijos, cuyos nudos están hechos de gratitud y de obligaciones morales.

En uno de los capítulos de su obra *Cúrate a ti mismo*, el Dr. Bach escribía a propósito de la relación entre padres e hijos: «Ser padre es una tarea divina que, por su esencia misma, se transmite a la siguiente generación. En realidad no es más que un servicio que no espera ninguna forma de recompensa a cambio, excepto la esperanza de que los hijos retomen la misma tarea con su descendencia en la próxima generación».

Dicho de otro modo, los padres no deben esperar ningún tipo de agradecimiento por lo que hacen por sus hijos. Si se parten el lomo por ellos deben hacerlo por voluntad propia y felices, a menudo contra la voluntad de los propios hijos. Siendo así, ¿por qué deberían lo hijos agradecer nada? Este malentendido es el origen del refrán «Cría cuervos y te sacarán lo ojos». Si hacemos un regalo no debemos esperar nada a cambio, de lo contrario, el regalo acabaría siendo una mercancía por la que se paga.

Otro error frecuente, y no solo cometido por los padres, viene de la exigencia de querer siempre «lo que es mejor» para los demás, tanto si se trata de niños o de adultos. Pero, en realidad, ¿cómo podemos saber lo que es mejor para otra persona? Ese «mejor para ti» siempre será subjetivo y a menudo será un «mejor para nosotros». Reflexionando sobre esto, quizá descubras (discutiendo con tus

hijos, por ejemplo) cuál es tu comportamiento en este terreno.

Cómo orientar positivamente tu vida

El elixir de Chicory te ayuda a construir una relación padre/hijo diferente y posiblemente más altruista. De este modo darás más cuerda a tus hijos. La Chicory te dará fuerza para aceptar que sigan su propio camino, aunque sus decisiones no se correspondan con tus propios deseos ni con tu concepción del mundo. Dales un voto de confianza: la confianza es el talismán más precioso que puedes ofrecerles. El elixir de Chicory también te ayudará a dar más libertad a tu pareja y a dosificar mejor tu espíritu solícito.

Flores complementarias (página 27): Beech, Red Chestnut, Vine.

CLEMATIS – Clemátide

>> Lo que hacemos hoy determina el mañana <<

Marie Von Ebner-Eschenbach

¿Te cuesta concentrarte porque se te va la cabeza pensando en el futuro? ¿Haces castillos en el aire? ¿Te sueles imaginar un mundo en el que eres feliz y donde tus problemas se esfuman? ¿Sueñas despierto con un gran amor romántico o con que te toca el gordo en la lotería? Cuando tienes problemas, ¿huyes del hastío cotidiano imaginando un mundo más alegre?

Soñar despierto es algo que hacemos todos de vez en cuando e incluso puede ser recomendable para calmar el espíritu, en ocasiones concretas; sin embargo, esos sueños ocupan la mayor parte de la vida de algunas personas, para las cuales es el único modo que encuentran con el fin de desquitarse de sus preocupaciones cotidianas. Cuando es así, en lugar de buscar soluciones a sus problemas presentes, dejan volar la imaginación hacia un futuro maravilloso pero, evidentemente, los problemas continúan existiendo en la cruda realidad sin que se tomen medidas para resolverlos. Esto entraña otros problemas colaterales que obligan a volver a huir hacia mundos imaginarios más amables, entrando en un círculo vicioso en el que se corre el riesgo de acabar perdiendo todo contacto con la realidad y el presente. Para su entorno, estas personas parecen distraídas,

La Clematis ayuda a centrarse en el «aquí y ahora».

apáticas y desinteresadas por todo. En caso de enfermedad, por ejemplo, curarse o no curarse les deja indiferentes. Esta forma equivocada de «resolver problemas» comporta el riesgo de caer en el alcohol o en el consumo de drogas.

Cómo orientar positivamente tu vida

En casos tan extremos, la esencia de Clematis se emplea como terapia de apoyo en tratamientos psicoterapéuticos destinados a desarrollar la capacidad de resolver problemas en tiempo presente. Además de ayudar en este largo y difícil camino, la Clematis tiene una influencia favorable en manifestaciones mucho menos graves que pueden alcanzarte de vez en cuando, especialmente cuando tu pensamiento se pierde a causa de una alegría intensa o una cólera extrema, por un sentimiento de culpabilidad o por celos. Si tus ideas se van hacia acontecimientos futuros (o pasados, pero cuando rememoramos un pasado feliz, mejor consultar la Honeysuckle) y te comportas distraído y desconcertado. También puede ser que te pongas a soñar en el peor momento, como en el trabajo, en la escuela o conduciendo el coche; no eres capaz de reconocer al viejo amigo con el que te encuentras por la calle o no te bajas en tu parada del autobús. La Clematis te ayudará a recuperar rápidamente el control de tus pensamientos y a concentrarte en el presente.

Flores complementarias (página 27): White Chestnut.

CRAB APPLE – Manzano silvestre

> El orden es el placer de la razón, pero el desorden hace las delicias de la imaginación

Paul Claudel

¿Una simple mancha en tu camisa o en la chaqueta te saca de quicio? ¿Necesitas absoluta limpieza y orden para sentirte bien, incluso durante las vacaciones? ¿Prestas tanta atención a tu imagen que la aparición de un granito puede arruinarte una velada? ¿Te sientes sucio si no te duchas inmediatamente después de haber sudado? ¿En el trabajo, por ejemplo, te fijas mucho en los detalles incluso en detrimento de la totalidad? ¿Tus pensamientos revolotean alrededor de ideas poco relevantes?

Entonces quizá pertenezcas a esa clase de personas que se dejan intoxicar por los detalles, a las cuales les cuesta priorizar e identificar lo que verdaderamente tiene importancia.

También tienes una marcada tendencia a la limpieza y el orden. Algunas personas desarrollan una obsesión enfermiza por mantenerlo todo limpio y arreglado, de lo contrario se sienten muy incómodos; esto esconde un gran problema psicológico, en muchas ocasiones, que se manifiesta bajo la forma de un POC (Perturbación Ocasional del Comportamiento). La sensación de estar interna y externamente sucios, a causa de imágenes que vemos, de discusiones, de contactos sexuales, de alimentos, de prendas de vestir, etc. puede, de la misma manera, tener un carácter neurótico que nada tiene que ver, evidentemente, con la sensación plenamente justificada de sentirse sucio a causa de un entorno del que nos quejamos las personas perfectamente sanas.

Cómo orientar positivamente tu vida

El elixir de Crab Apple te ayudará a desarrollar tu sentido de la proporción, a relativizar y discernir lo que es importante de lo que no lo es y a moderar nuestra necesidad de limpieza y orden, teniendo en cuenta todos los factores a los que nos enfrentamos en nuestra vida cotidiana. El Crab Apple o «flor de la purifi-

El Crab Apple relativiza la importancia de la limpieza y el orden.

cación», como también se la llama, te libera de la sensación de impureza y relativiza la importancia de la limpieza y el orden. Esto no significa que el Crab Apple te vaya a convertir en una persona desordenada y andrajosa, pero enfocará tu atención hacia elementos más importantes y te ayudará a discernir entre lo que es relevante y lo que no lo es tanto.

Si, por ejemplo, tus hijos regresan a casa con los zapatos empapados y llenos de barro, te interesarás más por si tienen los pies helados y puedan resfriarse si no les quitas los zapatos de inmediato, que por enfadarte y reñirles por haberse metido en un lodazal.

En caso de neurosis por la limpieza, lo más indicado sería iniciar una psicoterapia en la cual el Crab Apple sería un mero complemento.

Flores complementarias (página 27): Beech, Rock Water.

> El Elm alivia el estrés y la sensación de estar desbordado.

ELM – Olmo

>> La valentía no consiste en no tener miedo, sino en enfrentarse a él «

Jean-Paul Richter

¿Te pasa a veces que te sientes agobiado por las cargas excesivas en el trabajo o por tus responsabilidades? ¿Pierdes repentinamente todas tus energías porque sientes que todo tu esfuerzo acaba siendo inútil y vano? ¿Tienes la sensación de estar desbordado por la situación presente? ¿Conoces ese estado en el cual sientes que no sabes hacer nada bien o no puedes hacerlo?

En circunstancias normales eres completamente capaz de asumir todas tus responsabilidades. Tienes la capacidad, la intuición, la inteligencia y la perseverancia necesarias y consigues perfectamente hacer lo que se espera de ti. Te gusta tu trabajo y lo haces bien pero, de repente, alguien te pide una nueva tarea y sin saber por qué empiezas a perder coraje y a dudar de tu capacidad. Te sientes inesperadamente débil, cansado y tienes la terrible sensación de no servir para nada; el miedo a echar a perder las cosas pone en funcionamiento una angustia tal que llega a bloquear tu facultad para la reflexión. Entonces acabas por cometer los errores que intentabas evitar y entras en un estado de abatimiento y desasosiego profundo.

Cómo orientar positivamente tu vida

Aunque este estado suele ser pasajero, el elixir de Elm te permitirá salir de él con mayor rapidez; recobrarás la seguridad y la confianza en ti mismo, pudiendo asumir todas las tareas que se te encomienden; el éxito que se derive de dicha mejoría reforzará tus esperanzas y tu confianza. Suprimirá, así mismo, el estrés y mejorará tus aptitudes a la hora de asumir responsabilidades.

Flores complementarias (página 27): Gentian, Larch, Olive.

GENTIAN – Genciana de campo

>> La desconfianza es una armadura de piedra que molesta más que protege «

Lord Byron

¿Te desanimas fácilmente cuando surgen dificultades imprevistas? Por ejemplo: has planeado un paseo en bici con los amigos pero, pocos días antes, se te rompe la tuya y tienes que llevarla a reparar. ¿Tu primera reacción es pensar que todo va a salir mal y que no te la repararán a tiempo? Cuando estás haciendo cola en el cine, ¿tienes la sensación de que la última entrada será la que le vendan justo a la persona que está delante de ti? ¿Tiendes a deprimirte cuando la vida no transcurre exactamente como te gustaría? ¿Te pones siempre en lo peor con el fin de evitar decepciones?

Entonces entras en el numeroso grupo de personas que van por la vida envueltas en pesimismo, predispuestas a la melancolía y a la depresión, a las que nunca se les ocurre la posibilidad de que la fortuna les sonría un día. Todo lo miras a través de un prisma negativo. Eso te conduce a acordarte solamente de los acontecimientos que aticen tu negativismo y tu escepticismo. Te fijas solo en los días en que «como de costumbre» te has puesto a hacer cola en la caja del súper que no avanza y olvidas todos los días en que te has puesto en una cola rápida, que son la mayoría. Este ejemplo puede ser aplicado a todos los dominios de la vida cotidiana y con este género de constataciones, los pesimistas se prueban a sí mismos que son especialmente cenizos y desafortunados; se sienten muy desdichados cuando sus asuntos van mal pero son incapaces de ver el lado bueno de las cosas, como si llevaran unas gafas oscuras que les hicieran verlo todo muy negro.

Cómo orientar positivamente tu vida

Si quieres salir de este estado, toma elixir de Gentian, aunque tu pesi-

mismo habitual te haga pensar que no te va a servir para nada.

El Gentian te hará fijarte en el aspecto positivo de tus pensamientos y agudizará tu percepción de los acontecimientos agradables de la vida cotidiana. Podrás quitarte las «gafas negras» con las que lo has estado mirando todo hasta ahora. Los pesimistas empedernidos se dedicarán a orientar positivamente sus pensamientos porque, hasta cierto punto, se puede decir que el optimismo también se aprende.

Si padeces pesimismo crónico, te parecerán amargas todo tipo de situaciones por las cuales sentirte abatido: enfermedades, exámenes, separaciones… En este caso, el Gentian te ayudará a enfrentarte a estas experiencias con coraje y confianza.

El Gentian trata el pesimismo, favorece la seguridad y la confianza en uno mismo.

Flores complementarias (página 27): Honeysuckle, Larch, Mimulus, Willow.

GORSE – Aulaga

>> La fe es como el pájaro que canta cuando todavía es de noche <<

Tagore

¿Te sientes cansado y desolado porque tus planes han fracasado? ¿Estás enfermo y no tienes ni ganas de curarte? ¿Te encuentras en plena crisis existencial y tienes la sensación de que ya nada tiene arreglo? ¿Tienes la impresión de que es inútil intentar nada por última vez porque nada cambiará la situación?

En este caso te encuentras, sin duda alguna, sumido en un profundo estado de resignación. Si pones en marcha algún plan para mejorar las cosas no lo haces por voluntad propia, sino por el empuje de tu familia o amigos, ya que tú te has rendido por completo a tu destino. Repites a menudo frases del estilo «como no puedo cambiar nada me he acostumbrado a vivir con ello». A primera vista esta aceptación puede parecer como una estrategia prudente en alguien que se somete a su destino sin rebelarse, pero si lo estudiamos con

> El Gorse ayuda a sobreponerse en estados de desesperación.

detenimiento, esa pretendida prudencia solo es desesperanza y resignación, ya que la prudencia no carece de alegría por la vida. Es como el

67

principio de una muerte interior y, por tanto, necesitas algún tratamiento.

Cómo orientar positivamente tu vida

A pesar de tener la impresión de que nada servirá, toma elixir de Gorse. Despertará en ti una lucecita de esperanza a punto de crecer hasta iluminarlo todo. Luego es posible que seas capaz de contemplar la situación bajo un punto de vista diferente que te permita encontrar soluciones a los problemas.

Flores complementarias (página 27): Star of Bethlehem.

HEATHER – Brezo

>> Quien consigue dominar su egoísmo elimina el mayor obstáculo que corta el paso hacia la verdadera grandeza y la verdadera felicidad <<

Barón Joseph Eötvös

¿Te cuesta estar solo? ¿Necesitas siempre de alguien con quien hablar sobre ti y tus problemas? ¿Es importante para ti ser reconocido y bien considerado por la gente? Quizá sea por ello que hablas tanto de tus éxitos y tus logros. ¿Te parece que la gente no te presta suficiente atención o no te escucha como debiera? ¿Te pasa que a veces tus amigos desaparecen de tu vida sin que sepas realmente qué ha pasado? ¿Tienes poco tiempo para poder dedicarlo a los demás?

Posiblemente formes parte del numeroso grupo de personas que requieren una atención total por parte de los demás, pero que no saben escuchar. Generalmente estás tan ocupado en tu propia persona que no encuentras el tiempo ni el modo de demostrar a los que te rodean que también te interesan sus problemas y que los comprendes.

Este es un defecto difícil de identificar y de admitir, especialmente porque la gente no suele acusar a los demás de egoísmo, sino que desaparecen de su entorno, simplemente. Si se apartan de nosotros, lógicamente nos damos cuenta, pero no logramos relacionarlo con ningún tipo de comportamiento egocéntrico por nuestra parte, así que acabamos por buscar razones fuera de nosotros mismos.

De hecho, ese comportamiento egoísta es, en realidad, una gran necesidad de ser amados y reconocidos. Como si fueras un niño, te pones en el centro para llamar la atención de todos sobre tus necesidades; entonces estás tan ocupado contigo mismo que no llegas a tener conciencia de las necesidades de los otros. Es como si el paso de la infancia a la edad adulta hubiese quedado interrumpido en algún momento.

Cómo orientar positivamente tu vida

El Heather te ayudará a franquear esa etapa del desarrollo que te permitirá llegar a la edad adulta; te resultará de gran ayuda para identificar tus actitudes egocéntricas y deshacerte de ellas. Al mismo tiempo, tu percepción de los deseos ajenos mejorará notable-mente y aumentará tu interés por el prójimo. Como «recompensa» serás más apreciado y más escuchado.

Las personas que normalmente saben escuchar y se interesan por la gente pueden, por un tiempo, encontrarse en ese estado en el que solo saben hablar de ellas y de sus problemas. La esencia de Heather las ayudará a recuperar su comportamiento habitual.

Flores complementarias (página 27): Chicory, Willow.

> El Heather favorece la comprensión y la empatía.

El Holly es eficaz contra los sentimientos negativos como la agresividad, los celos o la envidia.

HOLLY – Acebo

Cuando odio consigo alguna cosa;
cuando amo me enriquezco
con lo que amo

Friedrich Schiller

¿Montas en cólera con facilidad o te muestras eventualmente antipático con los que te rodean? ¿Te enfadas y te llenas de acritud rápidamente? ¿Das a la gente la impresión de ser una persona irritable y agresiva? ¿Tiendes a elevar el tono de voz conforme te vas disgustando? ¿Hay veces en que te apetecería hacerlo todo añicos? ¿Tienes días en los que te levantas con el pie izquierdo y te pasas el resto de la jornada refunfuñando? ¿Te enfadas por tonterías? ¿Has explotado alguna vez a causa de los celos o la envidia?

Todos conocemos este género de emociones negativas, aunque en grados muy diferentes. Algunos reaccionarán con acritud hacia los que le rodean mientras que otros se mostrarán agresivos en sus actos. Algunas personas manifiestan sus celos mediante indirectas constantes y chinchando todo lo posible mientras que otras se metamorfosean en un violento Otelo.

Este tipo de emociones, ya sean manifiestamente violentas o ya sean poco marcadas, tienen en común la capacidad de borrar cualquier traza de simpatía en el momento en que aparecen. Pueden durar más o menos tiempo: minutos, horas, meses o la vida entera.

El Dr. Bach consideraba que la ausencia de amor es el origen de todas las emociones negativas (odio, envidia, maldad, celos, agresividad...). En consecuencia, estas emociones son los catalizadores de todos los horrores, de la crueldad y el dolor perpetrado en el mundo.

Cómo orientar positivamente tu vida

El elixir de Holly nos enseña a reconocer y superar nuestras emociones negativas. Haciéndolo, liberamos el espacio que ocupan y lo rellenamos con amor, siendo entonces capaces de comportarnos como seres amigables para con nuestros congéneres y nuestro entorno.

Flores complementarias (página 27): Impatiens, Willow.

HONEYSUCKLE – Madreselva

>> La vida no puede comprenderse sin tener en cuenta el pasado, pero tampoco puede vivirse sin proyectarla en el futuro <<

Sören Kierkegaard

¿Te cuesta olvidar los recuerdos amargos? ¿Te cuesta concentrarte porque tu pensamiento vaga por tu propio pasado? ¿Recuerdas con mucho detalle momentos especialmente agradables o desagradables de tu vida? ¿Piensas en ellos la mayor parte del tiempo? ¿Crees que cualquier tiempo pasado fue mejor? ¿El recuerdo de situaciones difíciles te atormenta permanentemente? ¿Sientes añoranza? ¿Tiendes a obsesionarte con algunas cosas? ¿Piensas a menudo en tus malas experiencias?

La verdad es que todos conocemos esos momentos en los que nuestra cabeza se pone a rememorar el pasado. Sin embargo, cuando esos instantes te hacen perder la conexión con el momento presente hasta el punto de distraerte y desconcentrarte, debes empezar a pensar en cambiar las cosas porque anclarte en el pasado solo te obstaculiza en el camino hacia el futuro. Todo lo que hemos vivido contribuye a formarnos; generalmente aprendemos lecciones de cada experiencia para poderlas aplicar en el

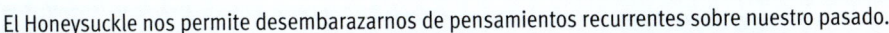

El Honeysuckle nos permite desembarazarnos de pensamientos recurrentes sobre nuestro pasado.

futuro, por lo tanto, debemos deshacernos de los pensamientos y los recuerdos que nos ligan a lo que ya está
vivido. Si, por ejemplo, nos pasamos
el tiempo lamentándonos por los
amigos que perdimos tras un cambio
de domicilio, seremos incapaces de
hacer amigos nuevos. Si rumiamos
permanentemente una decisión que
ya está tomada, no tendremos energía ni tiempo para tomar decisiones
nuevas. Si nos atormentamos sin cesar con remordimientos por errores
pasados, anulamos nuestra calma y
satisfacción interior.

Cómo orientar positivamente tu vida

La vida es como una escalera: no
podemos subir un escalón hasta que
no hemos quitado el pie del escalón
precedente. Hasta que no dejamos el
pasado atrás no podemos vivir el presente. El elixir de Honeysuckle nos
ayuda a deshacernos de los pensamientos tristes o negativos que nos
sumergen en el pasado para atraer
nuestra atención sobre los acontecimientos actuales, a fin de vivir el presente con plenitud.

Flores complementarias (página 27):
Chestnud Bud, Mimulus, Pine, Star
of Bethlehem, White Chestnut.

El Hornbeam ayuda a superar las dificultades y a ponerse en marcha.

HORNBEAM – Carpe o Hojarazo

El alma humana nunca está tan serena
como cuando encuentra la actividad que
necesita

Wilhelm von Humboldt

¿Te tienes que poner firme contigo
mismo a la hora de empezar a trabajar? ¿Reconoces que, a pesar de que
te cuesta ponerte, una vez has empe-
zado un trabajo lo llevas a cabo sin
dificultad ni cansancio? ¿Eres de esas
personas que se acurrucan en la cama, por la mañana, pensando en todo

lo que van a tener que hacer durante la jornada?

Las tareas que te esperan se presentan ante tus ojos como una gigantesca montaña y no encuentras las fuerzas para ponerte en marcha. Sin embargo, por increíble que parezca, el milagro se cumple una vez más y cuando llega la noche lo has hecho todo a la perfección.

El Hornbeam se conoce también como «el remedio del lunes por la mañana» porque esa debilidad nos ataca fundamentalmente a principios de semana, en particular cuando el trabajo que nos espera es una sucesión de rutinas monótonas o de un montón de cositas sin demasiada importancia que hay que arreglar, las cuales no requieren de la menor reflexión pero sí de mucha memoria. Esos esfuerzos repetitivos, aunque sean simples, provocan una especie de lasitud intelectual que nos afecta físicamente hasta dejarnos cansados y fofos. Una auténtica actividad física o intelectual nos ayudaría mucho, pero no conseguimos encontrar las fuerzas para dar un paseo o visitar a algún amigo; al contrario, nos despatarramos delante del televisor y dejamos que las imágenes nos pasen por delante sin pena ni gloria hasta que, a la mañana siguiente, nos despertamos con la misma sensación de impotencia.

Ahora bien, si el menor acontecimiento o el menor estímulo vienen del exterior, como la visita inesperada de un amigo o cualquier otra cosa, nuestra lasitud se esfuma como por arte de magia.

Cómo orientar positivamente tu vida

El elixir de Hornbeam te ayudará a superar la inercia y a ejecutar todas las tareas con buena disposición. Te dará mayor frescura y claridad mental. Para sobrellevar dicha inercia perniciosa y sacarte de la monotonía, intenta inscribirte a algún cursillo o a ver espectáculos de tu gusto: eso estimulará tu actividad física o mental.

Flores complementarias (página 27): Chestnut Bud, Mustard, Olive.

IMPATIENS – Impaciencia

>> La paciencia es la llave de la felicidad <<
Proverbio árabe

¿Te ponen nervioso las personas que hablan lentamente o que son lentos en lo que hacen? ¿Llevas mal hacer la cola del súper o ver que el que está delante rebusca en el monedero para encontrar cambio? ¿Sueles terminar las frases de los que hablan lentamente o de los que parecen no encontrar las palabras adecuadas? ¿Tienes la necesidad de que todo pase aquí y ahora?

En ese caso, eres una persona impaciente que va por la vida a toda pastilla. Piensas rápido, hablas rápido, eres nervioso, tenso y siempre a punto de precipitarte o explotar. La compañía de gente lenta es para ti una dura prueba de paciencia y tu vivacidad puede convertirse en un complejo de superioridad, reaccionando con irritación y frustración cuando los demás no consiguen seguir tu ritmo. El problema de los impacientes reside, a la vez, en su relación con los demás y con ellos mismos. En relación a los demás, como suelen medirlo todo según su propia medida, desarrollan con facilidad un poco de intolerancia o un sentimiento de superioridad. De este modo, la persona lenta es percibida como idiota e incapaz. Sin embargo, está probado que la gente lenta se toma más tiempo para examinar las cosas desde la raíz y que la reflexión y la precisión le otorgan más profundidad que a los impacientes, que acaban demasiado rápido en todo y terminan por ser superficiales.

El impaciente no se concede a sí mismo ni un respiro; no le concede la menor tregua ni a su cuerpo ni a su espíritu. Siempre en marcha, con el pensamiento fijo en lo que va a suceder inmediatamente después, pierde la facultad de saborear la calma y la belleza del instante presente. No consigue, sin ir más lejos, sentarse un momento en un banco y relajarse; en consecuencia, tiene contracturas y problemas de digestión.

Contrariamente a las personas calmadas, el impaciente no encuentra nunca el tiempo necesario para aprehender o considerar en profundidad a personas o situaciones y juzgan con ligereza y superficialidad.

La Impatiens combate la impaciencia y la precipitación.

Cómo orientar positivamente tu vida

La esencia de Impatiens no te convertirá, lógicamente, en una persona lenta, pero te ayudará a calmar tu precipitación interior y a ser más paciente con los demás y contigo mismo. Intenta, un día, saborear el placer de dejar tus pensamientos vagabundear en ese instante preciso. Las cosas te parecerán diferentes viéndolas desde un ángulo distinto, distendido, y sentirás calma interior. Quizá te des cuenta, entonces, de que los resultados que buscabas los has tenido siempre al alcance de la mano.

Flores complementarias (página 27): Beech, Chestnut Bud.

LARCH – Alerce

> Deshazte de tus miedos, fíate de tus recursos interiores, confía en la vida y ella te dará confianza. Puedes más de lo que crees
>
> Ralph Waldo Emerson

Si, durante una velada, encuentras al resto de los invitados más interesantes y atractivos que tú, ¿te sientes pequeño e insignificante? ¿Prefieres no soltar palabra por no meter la pata aunque luego te des cuenta de que estabas en lo cierto? Cuando empiezas algo, ¿tienes la sensación de que no podrás acabarlo? ¿Eres sensible a las críticas y te las tomas como ataques personales? ¿Necesitas de las alabanzas y el reconocimiento de los demás? ¿Te importa mucho lo que se piensa y se comenta sobre ti?

El Larch refuerza la confianza en uno mismo.

75

Entonces, sin duda, perteneces a ese tipo de personas que no tienen suficiente confianza en sí mismos o que sufren un complejo de inferioridad. Aun siendo tan capaz como cualquier otra persona, no te fías de ti. Sea por miedo a equivocarte o por miedo a hacer el ridículo, te resistes a emprender nuevas tareas o rechazas las oportunidades que se te presentan.

Te sientes inferior a los demás, de entrada; no estás satisfecho contigo mismo, no te gusta tu físico o tu intelecto y te encantaría ser como otras personas a las que admiras, tener su talento, su aspecto o su manera de ser, sin necesidad de que haya envidia en este deseo porque la envidia y los celos no forman parte de tu carácter. Sin duda alguna, te falta una buena dosis de amor propio y la capacidad para aceptarte tal y como eres.

Este déficit se remonta, en la mayoría de casos, a la infancia. Quizá hayas crecido en un entorno donde la semillita de «confianza en uno mismo» no haya sido convenientemente regada. Eso pasa cuando los padres no inculcan a sus hijos que son perfectamente válidos a pesar de sus defectos. De todos modos, echar la culpa a los padres (como si tuvieran la culpa de todo) no sirve de nada, no te permite avanzar en el presente y no aumenta tu autoconfianza.

Cómo orientar positivamente tu vida

Deberías empezar por hacer alguna cosa que elimine tu complejo de inferioridad. Puedes repetirte a ti mismo, cada noche, antes de acostarte: «Yo valgo mucho, merezco que me quieran aunque no haga nada para conseguirlo». Aprende a hacerte cumplidos por todo lo que te sale bien. Encontrarás un montón de razones en tu vida cotidiana. Intenta superar, poco a poco, tu miedo a equivocarte o a hacer el ridículo.

El elixir de Larch, especialmente si va combinado con el Mimulus, te ayudará en esta tarea. Verás cómo tu confianza aumenta; si intentas cualquier cosa la conseguirás y así te irás sintiendo cada vez más seguro de ti mismo.

Más allá de los estados crónicos de sentimiento de inferioridad, existen situaciones críticas en las que nos sentimos ninguneados. Si tu pareja te abandona, por ejemplo, la sensación de inferioridad te invade y puede acompañarse de acritud y celos; en ese caso, usa Larch, asociado a Holly o Willow.

Flores complementarias (página 27): Centaury, Cerato, Gentian, Honeysuckle, Mimulus, Pine, Star of Bethlehem.

MIMULUS – Mímulo

>> La alegría y el miedo son cristales de aumento <<

Proverbio de Flandes

¿Eres de los que sienten un pánico indescriptible cada vez que van al dentista, cuando hay tormenta y te duele el vientre antes de un examen? O quizá eres de los que temen el futuro, el envejecimiento, las enfermedades o cualquier otro tipo de miedos, los cuales eres capaz de describir con precisión. Si es así, perteneces al grupo de gente para las que el Dr. Bach descubrió el Mimulus. Los miedos asociados a este elixir pueden ser definidos muy concretamente (al contrario que los correspondientes al Aspen, que son miedos irracionales e inexplicables). Están directamente ligados a nuestra personalidad. Puede que temamos la llegada de alguna cosa que nos acarree sufrimientos físicos o mentales (la visita al dentista, por ejemplo, o el alejamiento de un ser querido), puede que temamos fallar en algo (en un examen o en un discurso). Sea cual sea su aspecto exterior, esos miedos están siempre relacionados con el sufrimiento o con la falta de confianza en las probabilidades de una evolución positiva de los acontecimientos. La mayor parte de las veces, nos sentimos así porque

ya hemos vivido situaciones negativas parecidas y tememos que se repitan de nuevo. La cuestión es que acabamos por imaginar siempre el

El Mimulus nos ayuda a luchar contra la angustia derivada de la falta de salud, de un examen, etc.

peor desenlace posible, en lugar de esperar un resultado optimista que nos libere del pasado.

Cómo orientar positivamente tu vida

El Mimulus te ayudará a superar los miedos y a plantarle cara a todas las situaciones con calma y valentía. La visita al dentista no será nunca una actividad placentera, claro está, y la pérdida de un ser querido te causará igualmente dolor, pero tus reacciones ante tales circunstancias serán mucho más comedidas y sabrás reaccionar mejor en los momentos decisivos.

Flores complementarias (página 27): Gentian, Larch, Rock Rose, Star of Bethlehem.

MUSTARD – Mostaza

>> La felicidad es saludable para el cuerpo, pero son las penas las que fortalecen el alma <<

Marcel Proust

¿Conoces esa sensación melancólica y triste que te invade sin saber por qué, como una nube negra que ensombrece un cielo azul? ¿Te sientes repentinamente cansado y descorazonado hasta el punto de sentarte en un rincón con la mirada perdida en el infinito? Sin razón aparente te sientes triste, abatido y a punto de deshacerte en lágrimas a la primera de cambio. El mundo ha perdido interés para ti, todo te parece vano e inútil. Generalmente, ese estado depresivo desaparece en pocos días, tan súbitamente como apareció. En otros casos, sin embargo, puede durar días, semanas e incluso años.

Muchas mujeres sufren cuadros depresivos más o menos intensos en los días que preceden a la menstruación y durante la menopausia, es decir, en los momentos en que el equilibrio hormonal es inestable. Pero la verdadera depresión golpea, normalmente, tras una experiencia dolorosa, como la muerte de un ser querido. En esos casos, lógicamente, ataca también a los hombres, de manera más o menos grave.

Si estás sujeto a estados depresivos seguramente eres de esas personas que no saben expresar de manera correcta su cólera y su ira, ni se saben hacer escuchar cuando es necesario. En lugar de decirle a la cara a una persona aquello que te irrita, tragas saliva y acabas enfadado contigo mismo. Eso significa que diriges hacia ti mismo una agresión que debiera ser exteriorizada. Por otra parte, con el tiempo, el inconsciente transforma la ira reprimida en un comportamiento depresivo.

Existen otros desencadenantes para la depresión, como las modificaciones en el metabolismo del cerebro. Estos casos deben ser tratados médicamente.

Cómo orientar positivamente tu vida

Si tu caso no es de los graves, la Mustard traerá alegría y claridad a tu vida cotidiana; notarás cómo regresa a tu mente la alegría de vivir y la energía. En caso de depresión debida a una larga enfermedad física, toma Mustard y sentirás un claro aumento de vitalidad.

Las depresiones graves que se acompañan de ideas mórbidas en torno al suicidio, necesitan tratamiento médico y psicoterapia. La Mustard puede servir, en dichos casos, como complemento e incluso (siempre que el terapeuta esté de acuerdo) permite una prudente reducción de los medicamentos a los indispensables.

Flores complementarias (página 27): Gorse, Larch, Olive, Sweet Chestnut, Willow.

La Mustard elimina el «velo negro» que caracteriza los estados depresivos.

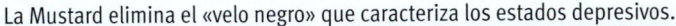

El Oak facilita la demanda de ayuda a los demás en caso de estar en dificultades.

sado y sin fuerzas pero ni se te ocurre la idea de delegar una parte de tu trabajo o de organizarte mejor pidiendo ayuda y continúas trabajando sin fuerzas, como por una obligación interior. «No abandonar jamás» o «conseguirlo a toda costa» podrían ser tus divisas. «No puedo dejar que los demás lo hagan todo» es lo primero que piensas cuando te pones enfermo y tu sentido del deber y la responsabilidad te dan fuerzas para continuar. ¿Acaso temes que los demás te consideren débil? ¿No quieres reconocer que tú también tienes límites? ¿O es que necesitas de ese despliegue de fuerza exterior para demostrarte que también eres interiormente fuerte?

Cómo orientar positivamente tu vida

¿Conoces el roble nudoso que resiste las tormentas sin doblarse jamás hasta el día en que se cae de golpe? Por el contrario, el álamo se dobla y sigue creciendo hasta con el viento más fuerte. ¿Ves el paralelo entre el roble y tú?

Toma, entonces, elixir de Oak para recobrar tus fuerzas; te permitirá, además, desarrollar la capacidad de reconocer y aceptar tu propios límites. La perseverancia es un rasgo de carácter positivo e importante y sin

OAK – Roble

La perseverancia es hija de la fuerza; la testarudez lo es de la debilidad, de la debilidad de espíritu

Marie von Ebner-Eschenbach

Deberían sonar todas las alarmas cuando se sabe a ciencia cierta que tenemos la espada de Damocles sobre nuestras cabezas. Te sientes canella no hubieran visto la luz muchos inventos pero, como todo en la vida, la medida es un factor determinante.

Abandonar y perseverar son dos polos entre los cuales debes encontrar el justo equilibrio y el Oak te dará una ayuda preciosa para conseguirlo.

Flores complementarias (página 27): Rock Water.

OLIVE – Olivo

Es una desatino querer ir más allá de las propias fuerzas

Sófocles

¿Estás siempre cansado? ¿No tienes ganas de nada, ni siquiera de las cosas que siempre te han gustado? ¿Estás harto de todo? ¿Estás tan agotado que te apetecería coger carretera y manta, o acurrucarte en un rinconcito tranquilo? Cuando llega la noche eres incapaz de hacer nada productivo, o caes redondo en la cama o te tumbas en el sofá a ver programas de televisión que no te interesan lo más mínimo. Ese estado es el principal síntoma de un agotamiento profundo; estás agotado desde hace mucho tiempo, probablemente, ignorando tu necesidad de calma y quietud.

¿Tiendes a no hacer caso a tus propios deseos porque te has comprometido a hacer un trabajo? ¿Eres tan meticuloso que no estás satisfecho hasta que todo está perfectamente finalizado, o bien eres una de esas mamás que se desviven tanto por su familia que no miran por ellas mismas?

Ese tipo de comportamiento puede conducir, a base de sobresfuerzos, a un estado de agotamiento crónico.

El Olive devuelve la fuerza en caso de agotamiento nervioso y corporal.

Cómo orientar positivamente tu vida

Hay dos formas de salir de ese estado de permanente insatisfacción:

1 Conoces la causa de tu agotamiento: enfermedad, falta de sueño, ansiedad pasajera, etc. En ese caso, el elixir de Olive te pondrá las pilas de manera rápida, a condición, lógicamente, de que cambies de actitud frente a las situaciones que te dejan sin fuerzas. El elixir de Olive no es un remedio milagroso capaz de reemplazar el sueño, el descanso o las vitaminas.

2 No sabes de dónde proviene esa fatiga. Primero consulta con un médico para verificar que no se trata de un problema fisiológico (como la falta de hierro, por ejemplo). Si todo va bien desde el punto de vista físico, observa tus hábitos y comportamientos de cerca, hasta que descubras cuándo y cómo te fatigas. Si te has reconocido en alguna de las descripciones de estados emocionales anteriores, asocia el elixir de Olive a la flor correspondiente a dicho estado emocional, con el fin de cortar el mal desde su raíz. Asimismo, deberías empezar a modificar el comportamiento que hayas identificado. El Olive y la flor complementaria te ayudarán. Por el contrario, si ninguno de los modelos de comportamiento descritos se acerca al tuyo, empieza por tomar Olive solamente. Luego intenta conocerte mejor a ti mismo, charlando con un amigo o con un terapeuta, por ejemplo. De ese modo podrás descubrir la causa de tu fatiga.

Flores complementarias (página 27): Centaury, Chicory, Crab Apple, Larch, Oak, Rock Water, Vervain.

PINE – Pino

No me corresponde dar a los demás la bondad absoluta, pero sí lo más puro y sincero que llevo dentro

Hermann Hesse

¿Te sientes descontento con lo que haces porque crees que podrías haberlo hecho mejor? Cuándo surgen conflictos con los demás, ¿tiendes sistemáticamente a echarte la culpa de lo ocurrido? ¿Tienes mala conciencia a menudo? ¿Te parece que no satisfaces correctamente las exigencias de tus hijos o de tu pareja?

Entonces formas parte de esas personas que dudan de todo y que se pasan el tiempo pensando que cualquier cosa la podrían haber hecho o dicho mejor. Tras una fiesta de cumpleaños, que ha sido un éxito, cuando ya se han ido los invitados, empiezas a buscar faltas por todas partes: que si la comida podía haber sido mejor o más abundante, que si las bebidas eran las correctas, que si el ambiente era agradable o no. Incluso puedes sufrir de insomnio pensando en decisiones que ya están tomadas o en palabras que has dicho. Además, te sientes igualmente culpable de los errores de los demás. Tu insatisfacción y tus dudas no se aplican solamente a tus acciones sino a tu propia calidad como ser humano. En este ámbito también te sientes insuficiente. De nada te sirve que los demás te feliciten y alaben tu forma de ser, porque ese sentimiento está muy anclado en tu corazón, como una flecha envenenada, haciéndote creer que nunca haces lo suficiente. Como consecuencia, te falta seguridad y despreocupación, estás en permanente esfuerzo por hacerlo todo a la perfección para estar a la altura de las altas exigencias que tú mismo te fijas.

Cómo orientar positivamente tu vida

La esencia de pino no te liberará de tu sentimiento de culpabilidad de un golpe, cual varita mágica, pero te ayudará a tener más consideración por ti mismo y a evaluar tus actos con mayor exactitud. En todo lo que emprendas, intenta decirte: «Lo hago

lo mejor que puedo y si no le gusta a alguien, será su problema. Así es que me voy a esforzar por dar lo mejor de

> El Pine actúa contra los sentimientos de culpabilidad permanentes.

mí mismo sin hacerme ningún repro-
che, aunque a otros les parezca insuficiente». El Pine también te ayudará
a ver con más claridad en situaciones
pasajeras en las que nos torturamos
dándole vueltas a la cabeza.

Flores complementarias (página 27):
Crab Apple, Gorse, Honeysuckle,
Larch, Rock Water, Sweet Chestnut,
White Chestnut.

RED CHESTNUT – Castaño rojo

Toda visión horrible desaparece
cuando la miramos de frente

Johann Gottlieb Fichte

¿Tienes que esperar a que tus hijos
vuelvan a casa, de madrugada, para
poder dormir? ¿No estás tranquilo si
no tienes noticias regulares de tu pareja cuando esta se encuentra de viaje? ¿Tienes miedo a que a tus hijos les
pueda pasar cualquier cosa horrenda
de camino a la escuela? ¿Eres de esos
padres que no paran de repetir a sus
hijos que tengan mucho cuidado? En
resumen: ¿El miedo a que algo malo
les pase a los tuyos forma parte de tu
vida cotidiana?

En ese caso, el elixir de Red Chestnut está hecho para ti, porque el
principio fundamental de esta esencia combate el miedo por los demás.

Ese miedo, que en principio puede
parecer muy normal es, de hecho, nefasto y no solo para ti sino para las
personas que te rodean.

Un niño sensible que se resiente
con la angustia de su madre, por

El Red Chestnut protege de la angustia excesiva
hacia los demás.

ejemplo, corre el riesgo de perder confianza en sí mismo porque dicha angustia está, en gran parte, ligada a la falta de confianza de la mamá en las capacidades de su hijo. ¿Cómo va a tener confianza en sí mismo si su propia madre duda de él? Asimismo, los adultos también pueden sentirse sofocados por la constante angustia de alguien.

Cómo orientar positivamente tu vida

La esencia de Red Chestnut te ayudará a superar tu miedo por los demás. Reforzará tu confianza en ellos y el tener pensamientos positivos cuando están lejos. Al mismo tiempo, permitirá a tus hijos desarrollar una mayor confianza en ellos mismos.

Quizá te acabes dando cuenta de que la angustia que escondías hasta ahora tras un desvelo exagerado por los demás no es sino angustia por ti mismo, miedo a perderlos. El Red Chestnut te permitirá deshacerte de esa ansiedad y eliminarla progresivamente.

Flores complementarias (página 27): Chicory, Gentian, Honeysuckle, Mimulus, Rose Rock, Star of Bethlehem.

La Rock Rose elimina el pánico.

ROCK ROSE – Heliantemo o Jarilla

Un náufrago tiene miedo hasta del mar en calma

Ovidio

¿Has sentido alguna vez las sacudidas de las turbulencias en un viaje en avión? ¿Te has encontrado ya en un velero, en plena tormenta, sabiendo que el mástil constituye un polo de atracción ideal para los rayos? ¿Has tenido algún accidente de coche del que has salido con las piernas temblando o has pasado por alguna otra situación en la que te hayas sentido al borde de la muerte sin poder controlar nada? Entonces ya sabes lo que es el «pánico», con el corazón que se sale del pecho, la respiración contenida y el cuerpo como paralizado. Generalmente, no tomamos conciencia de este tipo de miedo hasta que el peligro no ha pasado, cuando la sensación de estar en shock se instala en nosotros. La Rock Rose te ayudará a liberar el pánico interior, a calmarte el pulso y a recobrar la respiración normal; te sacará del estado de estupor y te permitirá reaccionar con mesura.

Es posible que seas de esas personas nerviosas que se asustan con facilidad, aun cuando la situación no tiene nada de extrema, que pierden el control de los actos. Ese género de pánico aparece, por ejemplo, cuando has perdido alguna cosa que aprecias mucho o cuando tus seres queridos no están recogidos y a salvo en casa, a una hora razonable para ti. Un examen, la espera por el resultado de una analítica y sus consecuencias pueden desencadenar este tipo de miedos.

Cómo orientar positivamente tu vida

Cada vez que vivas una situación excepcional o crítica, que las circunstancias exteriores te provoquen miedo o, simplemente, te lleves un sobresalto en casa, la esencia de Rock Rose tendrá sobre ti un efecto tranquilizador. Remítete también al remedio de urgencia (página 113).

ROCK WATER – Agua de roca

>> O se maneja la vida con una sonrisa, o no se maneja <<

Proverbio chino

¿Vives la vida según reglas y principios estrictos? ¿Tienes, por ejemplo, tendencia a seguir tus ejercicios gimnásticos o la dieta con absoluto rigor? ¿Buscas la perfección en tu trabajo? ¿Eres de esas personas concienzudas y fiables que hacen las delicias de sus superiores? ¿Te marcas objetivos tan difíciles que sólo puedes conseguirlos con esfuerzos más que considerables?

Probablemente te estarás preguntando «¿Y qué hay de malo en eso? Es bueno ser disciplinado y exigente con uno mismo». Claro que sí, mientras no signifique que pierdas la alegría de vivir y tu propio bienestar. La disciplina y el sentido del deber pueden hacer de nosotros fanáticos extremistas o ascetas desprovistos de sentido del humor, incapaces de saborear las cosas buenas de la vida. Acabaremos teniendo tendencia a ocultar la parte de nosotros que no se corresponda con la imagen ideal que tenemos de nosotros mismos. El deseo de perfección y el respeto por la disciplina pueden convertirnos en seres severos, rígidos y egocéntricos.

Este comportamiento no siempre es tan marcado; algunas personas solo presentan cierta falta de ligereza y de alegría.

Cómo orientar positivamente tu vida

La esencia de Rock Water es una especie de «ablandador» que te ayudará a tomarte las cosas con menos seriedad y a descubrir el lado fútil de la vida. No seremos desagradables por no hacer las cosas a la perfección o por olvidar nuestros principios de vez en cuando. Te sentirás más vivo y alegre si eres menos severo y menos exigente contigo mismo. Intenta ser un poco más indulgente contigo y mímate como lo harías con un ser querido. Hasta ahora has estado cumpliendo con tus deberes al 150%.

La Rock Water ayuda a moderar los comportamientos perfeccionistas.

Intenta hacerlo al 80% y comprobarás que, en la mayoría de las ocasiones, con eso ya es suficiente.

Flores complementarias (página 27): Beech, Crab Apple, Oak, Pine.

El Scleranthus tiene un efecto estabilizador sobre los cambios de humor y las opiniones fluctuantes.

SCLERANTHUS –
Scleranthus

❯❯ Si dudas desesperadamente entre dos cosas, elige la que le parezca más difícil a tu Yo interior, porque nada le resultará más difícil que la verdad ❝

Ibn Atá Allah

¿Te cuesta decidirte entre dos posibilidades? Si, por ejemplo, te han invitado a dos cenas diferentes la misma noche, ¿te gustaría poder aceptar ambas? No sabes qué hacer. La primera te parece más atrayente, pero claro, la segunda… Cuanto más reflexionas más argumentos encuentras a favor y en contra y más difícil se te hace la elección. Al final te encuentras completamente bloqueado y decides que sea el azar quien decida por ti.

¿Te cuesta concentrarte porque tienes un montón de ideas en la cabeza? ¿Cambias de humor muy a menudo? ¿Te ocurre que un rato estás alegre y despreocupado y un momento más tarde te sientes sombrío y triste?

¿Cambias de opinión cada vez que te plantean un nuevo argumento? Esta actitud contribuye a que la gente tenga de ti una idea versátil y poco fiable. Formas parte de la gente cuyo equilibrio interno es frágil; cambias de postura como una veleta al viento. Vas para un lado y luego para otro. Cada nuevo aspecto de una situación te parece razonable; cada idea nueva te sumerge en un mar de dudas. Por lo tanto, cada decisión se convierte en una auténtica tortura para ti, sobre todo si intentas averiguar cuál será la más conveniente para tus intereses pero, contrariamente a las personas tipo Cerato (y que también sufren de indecisión) jamás pides consejo.

Cómo orientar positivamente tu vida

El elixir de Scleranthus te ayudará a fijar tu equilibrio interno. Encontrarás la calma y la continuidad en tu vida sin que por ello se vuelva aburrida. Simplemente, estarás menos inclinado a los cambios de humor y te sentirás más seguro de tus decisiones. Conservarás, naturalmente, la capacidad para examinar las cosas bajo todos los ángulos existentes y el deseo de ser lo más eficaz posible, pero también serás capaz de escoger sin dudar.

STAR OF BETHLEHEM – Leche de gallina

》》 Levanta la vista y contemplarás las estrellas 《《

Proverbio filipino

¿Tienes necesidad de consuelo porque te has enterado de una noticia terrible o porque has sufrido una enorme pérdida? ¿Te cuesta mucho superar un trauma físico o psicológico pasado, tales como un accidente, una separación o una humillación?

Puede ser que todo lo que haces se base en experiencias negativas cuyas

La Star of Bethlehem aporta consuelo en el sufrimiento agudo del pasado.

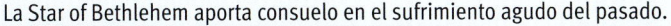

consecuencias te pesan enormemente, física o moralmente, aunque hayan pasado ya muchos años. Se exteriorizan bajo la forma de problemas neurovegetativos. Un dolor reprimido, por ejemplo, puede acarrear insomnio, problemas cardíacos o alopecia. Una humillación puede provocar dolores de estómago durante años. Un accidente de coche puede engendrar un miedo insuperable a subirse a un vehículo.

Cómo orientar positivamente tu vida

La Star of Bethlehem, que el Dr. Bach calificaba como «consuelo del alma», puede atenuar tus penas y tu dolor en situaciones de crisis (ver, igualmente, «Remedio de Urgencia», página 113). Te ayudará a trabajar sobre los acontecimientos que pesan sobre tu psique, aunque se remonten a muchos años atrás, incluso decenios. Te permitirá, igualmente, deshacer los bloqueos internos que aparecen con ocasión de shocks emocionales graves para liberar tu energía vital. Los síntomas fisiológicos derivados de dichos bloqueos desaparecen por sí solos, generalmente.

Flores complementarias (página 27): Honeysuckle.

SWEET CHESTNUT – Castaño dulce

>> Dios no nos envía la desesperación para destruirnos, nos la manda para despertar en nosotros una vida nueva <<

Hermann Hesse

¿Tienes la sensación de que ya no puedes soportar más la situación en la que te encuentras? ¿Vives una rela-

El Sweet Chestnut atenúa el sentimiento de desesperación.

ción que te hace infeliz pero que no te atreves a romper? ¿Te sientes completamente descorazonado y desesperado? ¿Eres consciente de que no puedes seguir así pero no sabes cómo cambiar la situación? ¿Tienes la impresión de estar acorralado, impotente, ante un muro, absolutamente apartado del mundo, de su luz y su calor? No encuentras la energía para desencadenar el necesario cambio. Deberías gritar tu dolor, pero ni siquiera tienes fuerzas para ello. En lugar de compadecerte a ti mismo, intentas ser valiente. De todos modos, ni siquiera sabes qué o quién podría ayudarte. Sin embargo, es el momento ideal para darte una oportunidad para salir de ese estado de desesperación profunda. Pero para ello hay que estar preparado y tener el coraje de abrirse a los demás: hablando, sin ir más lejos, encontrarás mucho consuelo y verás que hay otros puntos de vista que podrían indicarte el camino a seguir para salir de esa situación desesperada. Dichas situaciones marcan, a veces, el giro decisivo que nos obliga a cambiar de actitud ante la vida. El compañero de una toxicómana (y viceversa) puede darse cuenta, por ejemplo, de que la separación es la única salida posible para ambos, la única forma de darle a la pareja una oportunidad de curación.

Cómo orientar positivamente tu vida

El Sweet Chestnut consuela y atenúa la desesperación, sea cual sea su causa: una enfermedad grave, la pérdida de un ser querido o el interminable martirio de una relación infeliz. Te ayudará a encontrar la energía, la esperanza y el camino que te conducirá de nuevo a la luz y a la alegría de vivir.

Flores complementarias (página 27): Gentian, Gorse, Pine, White Chestnut, Willow.

VERVAIN – Verbena

>> Puedes poner a un hombre en el buen camino, pero no podrás obligarlo a quedarse en él <<

Confucio

¿Tiendes a entusiasmarte exageradamente con una tarea o persona nueva? ¿Acostumbras a intentar convencer a los demás de lo que tú crees? ¿Tienes una energía desbordante y un espíritu emprendedor notable pero te cansas físicamente? ¿Te notas cansado y estresado a menudo?

Seguramente formas parte de la gente que se entusiasma con facilidad por alguna cosa y te consagras a ella

La Vervain previene el deseo exagerado de querer convencer al mundo entero.

compadecerte, estás acostumbrado a vivir bajo presión constante y sólo te concedes pequeños respiros. No es sorprendente, pues, que el resultado de este modelo de comportamiento agotador se manifieste, tarde o temprano, bajo la forma de contracturas musculares o depresiones nerviosas. Sueles excederte en tu deseo de que todo el que te rodea participe de tu entusiasmo y tu «militancia» te lleva a imponer tu forma de entender la vida a los demás.

Cómo orientar positivamente tu vida

El elixir de Vervain te ayudará a prestar más atención a los demás y a ti mismo. Sabrás reconocer los momentos en los que tu entusiasmo desbordante no es compartido por el resto de la gente, así como aquellos en que seas demasiado exigente contigo mismo y con el prójimo. Este elixir te será de gran ayuda para intentar nuevos comportamientos que se correspondan mejor con tus necesidades de reposo y calma. Así que deja el trabajo por un rato o anula una cita cuando te sientas agotado y verás que no se acaba el mundo.

Flores complementarias (página 27): Beech, Rock Water, Impatiens.

hasta quedar exhausto. Nunca te echas atrás en una decisión que ya has tomado, de manera que sueles acabar todos tus proyectos con éxito, aunque eso repercuta negativamente en tu salud y, como no tiendes a auto-

VINE – Vid

》 **Llora el poder mientras entierra
a aquel que lo poseyó** 《

Talmud

¿Mantienes la sangre fría en las situaciones de crisis y tomas la dirección de todo cuando es necesario? ¿Sientes que llevas la razón en la mayoría de las discusiones? ¿Eres buen consejero? ¿Das la impresión de ser una persona segura de sí misma? ¿Tienes una voluntad férrea y una tenacidad inquebrantable?

Tanto si lo crees como si no, tienes madera de líder. Estás dotado de poder y autoridad y, aun sin quererlo, asumes el rol de jefe en cualquier grupo, decidiendo las acciones que se llevarán a cabo. Posiblemente ya tengas un empleo que requiera de dichas habilidades. En general, llevas bien el hecho de imponerte y dar una imagen severa e inflexible. Pero si pierdes la mesura, esta habilidad puede convertirse en algo peligroso para ti y para tus relaciones con los demás, porque una persona resuelta y competente puede llegar a convertirse en un verdadero tirano que da órdenes a diestro y siniestro sin admitir la menor discusión. Tu sentimiento de tener la razón puede transformarse en un querer tener siempre la última palabra, aunque el asunto sea nimio:

para ti es una simple cuestión de poder. Entonces acabarás por emplear todas tus energías y competencias con el único objetivo de dirigir a los demás como lo haría un dictador.

Esta disposición orientada hacia el poder y la dominación puede llegar

La Vine protege contra los comportamientos autoritarios.

a cotas irracionales. Hay que tener un buen conocimiento de uno mismo o la ayuda de personas próximas para hacernos cargo de este rasgo del carácter. A menudo son los más cercanos a ti los que sufren las consecuencias de ese comportamiento. Por eso, si detectas el menor síntoma de abuso de autoridad o de comportamiento tiránico en tu forma de ser, el elixir de Vine será tu solución. Las contracturas dolorosas y los tirones en las articulaciones pueden ser una indicación de que necesitamos este elixir porque estas revelan, según el Dr. Bach, nuestra tendencia a dominar.

Cómo orientar positivamente tu vida

La esencia de Vine te ayudará a controlar tu carisma de líder de manera que tus cualidades no sirvan para someter a los demás sino para el bien común. Cuando des órdenes, no te olvides de que te estás dirigiendo a seres humanos, con alma y con derecho a conservar su dignidad. Encontrarás otro tono para dirigirte a la gente y verás cómo tus cualidades te permiten dirigirlos sin haberlos sometido a presión alguna.

Flores complementarias (página 27): Beech, Impatiens, Rock Water.

WALNUT – Nogal

> No sirve de nada conversar con los que van por otro camino

Confucio

¿Estás de vuelta de todo en la vida? ¿Has vivido ya cambios de trabajo, separación de la pareja, marcha de casa de los padres? ¿Es poco habitual que dudes en cuanto a los fundamentos y la precisión de las decisiones que tomas? Teniendo en cuenta que te preocupa bastante la opinión de los demás, ¿te has dado cuenta de que eres muy sensible a reflexiones del tipo «¿realmente quieres dejar pasar esta magnífica oportunidad?» o «no puedes hacerle esto a tus padres, marcharte a vivir a otra ciudad»? Estas reflexiones te afectan tanto que, probablemente, acabes por no llevar a cabo tus proyectos, por más que sepas que eran convenientes y adecuados.

Te quedas a vivir cerca de tus padres o no dejas tu relación de pareja aunque sepas que tu desarrollo personal lo exige, pero algo te retiene. Un sentimiento de culpabilidad o el miedo a equivocarte surgen repentinamente.

En este tipo de decisiones, las emociones juegan el papel principal porque nos exigen, casi siempre, que abandonemos costumbres, relaciones y seres queridos. Al ser tan difícil, dudamos, oscilamos entre dos soluciones. En ese momento somos particularmente vulnerables a las influencias externas que, normalmente, solo servirán para suscitarnos más dudas.

Cómo orientar positivamente tu vida

En las situaciones que desembocan en una marcha, el Walnut te ayudará a tomar decisiones. Te permitirá encontrar certezas interiores y llevar a cabo tus proyectos sin preocuparte de las opiniones ajenas. El Dr. Bach calificaba este elixir como «link breaker», que significa literalmente «rompedor de lazos».

Te ayudará, por lo tanto, a deshacerte de tus lazos emocionales y te dará fortaleza para resistir las influencias exteriores; así mismo, te dará fuerza para seguir tu propio camino, independientemente de los comentarios de la gente. La esencia de Walnut atenúa, también, las pequeñas o grandes dificultades que acompañan generalmente los períodos de transición de la vida. Puede atenuar dolores derivados de la dentición en los bebés, ayudar a un niño en sus primeros días de escuela; poner un poco de orden en el caos de la pubertad; dulcificar las tensiones y los sofocos propios de la menopausia o ayudar a aceptar naturalmente la vejez.

Flores complementarias (página 27): Centaury, Wild Oat.

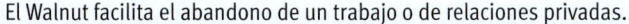

El Walnut facilita el abandono de un trabajo o de relaciones privadas.

La Water Violet facilita las relaciones con los demás.

WATER VIOLET – Violeta de agua

>> Aunque tengas todas las cualidades, serás un ser incompleto si te falta la humildad <<

Sabiduría judía

¿Te puedes llegar a sentir solo en mitad de la algarabía de una fiesta en casa de amigos tuyos? ¿Te cuesta establecer rápidamente contacto con la gente que acabas de conocer porque tiendes a ser distante y reservado? ¿Prefieres resolver problemas solo en vez de pedir ayuda? Entonces eres como esas personas comparables a rocas en mitad de un mar embravecido: calmado, reflexivo e insensible al desorden humano que les envuelve.

¡Quién se iba a imaginar que tú también tienes problemas, si no se te nota nada! Para los demás eres una persona muy fuerte, tanto que llegas a parecer frío e inaccesible. Esa impasibilidad se traduce a menudo como un secreto sentimiento de orgullo y superioridad, fundamentados en dones o cualidades excepcionales y/o la riqueza o desahogo económico. Para algunas personas de tipo Water Violet, el orgullo (justificado) da pie a la aparición de la arrogancia y al complejo de superioridad. Olvidan, quizá, que deben sus facultades a dones heredados o a haber nacido en una familia económicamente privilegiada, partiendo entonces con ventaja sobre los demás. Obviamente, estos regalos del destino son razón más que suficiente para sentirse felices y orgullosos, pero no hasta el punto de menospreciar y tratar con arrogancia a los que no han tenido la misma suerte.

Cómo orientar positivamente tu vida

El elixir de Water Violet ayuda a las personas a reducir su orgullo a proporciones razonables y a eliminar cualquier sentimiento de superioridad. Nos enseña cómo desembarazarnos de dicho complejo y a aceptar el destino con gratitud y humildad. La Water Violet te permitirá salir de tu excesiva reserva, a acercarte más a la gente y a sentirte menos solo interiormente.

Flores complementarias (página 27): Beech, Impatiens, Vervain, Vine.

WHITE CHESTNUT – Castaño blanco

> Allá donde reina la claridad también se encuentra la paz, o bien nace progresivamente de sí misma ‹‹
> Wilhelm von Homboldt

¿Pasas noches enteras en vela, dándole vueltas al mismo problema? ¿Te exprimes el cerebro durante horas con la misma idea, como un disco rallado? ¿Te cuesta escuchar con atención o concentrarte porque tu cabeza está centrada en ideas recurrentes? ¿Te cuesta dormir porque tus pensamientos dan vueltas y más vueltas como un tiovivo que no puede pararse? Estas situaciones suelen producirse a causa del recuerdo de acontecimientos ligados a la angustia, a la pena o a la ira: podemos recordar, por ejemplo, una disputa, palabra por palabra, pensan-

El White Chestnut ayuda a desconectar de las ideas obsesivas.

do las cosas que podríamos haber dicho y no dijimos. Antes de un examen podemos pensar en la posibilidad de suspenderlo y, ante una decisión importante, tendremos miedo a equivocarnos. Esos pensamientos, aunque son positivos, pueden llegar a obsesionarnos: la organización de una fiesta o de un viaje, por ejemplo.

Una vez que nos perdemos en esas ideas, nada ni nadie pueden devolvernos a la realidad; no podemos concentrarnos, estamos distraídos y somos incapaces de recobrar la calma y la paz de espíritu. Ninguna influencia externa puede llegar hasta nosotros. Si esta situación se prolonga mucho tiempo, puede tener efectos nefastos sobre nuestro bienestar general; la falta de sueño y los pensamientos negativos pueden convertirse en auténticas obsesiones que nos lleven a la melancolía o la depresión.

Cómo orientar positivamente tu vida

El White Chestnut te permite romper con el círculo vicioso de las ideas recurrentes; constatarás que la calma y la paz interior regresan progresivamente; te abrirás de nuevo a las informaciones externas; te concentrarás en el presente y dormirás mejor.

Generalmente, es útil tomar White Chestnut asociado a otras esencias relacionadas con las emociones que han desencadenado tus fijaciones, ya sea culpabilidad, celos, o miedo.

Flores complementarias (página 27): Clematis, Holly, Honeysuckle, Mimulus, Pine, Rock Rose, Sweet Chestnut, Vervain, Willow.

WILD OAT – Avena silvestre

> Exigimos a la vida que tenga algún sentido, pero no tiene más sentido que el que nosotros mismos seamos capaces de darle

Hermann Hesse

¿Estás en un momento crucial de tu vida y te preguntas qué vas a hacer? ¿Te cansas con rapidez de las personas o las cosas que al principio habían desbordado tu entusiasmo? ¿Empiezas muchos nuevos proyectos en tu vida profesional, privada o en tus relaciones, para abandonarlos a la mitad, y súbitamente, ante la duda de que respondan realmente a lo que estabas buscando? ¿Te sientes a veces desorientado con la sensación de no saber qué hacer con tu vida? ¿Te preguntas a menudo cuál es el sentido de la vida? ¿Te cuesta decidirte por una carrera porque sabes que tienes cualidades aplicables a numerosas materias?

Seguramente formas parte del grupo de gente que no sabe cómo avanzar en su vida. Estás buscando, permanentemente, un trabajo o una relación que te convenga y te llene; has probado muchas cosas pero siempre acabas preguntándote qué sentido tiene seguir con ellas. Contrariamente al tipo Scleranthus –que nunca se decide entre dos soluciones– a ti te cuesta escoger entre la multitud de opciones que la vida te ofrece ya que encuentras la que te satisfaga totalmente. Así que acabas por convertirte en una persona eternamente insatisfecha, en particular cuando te das cuenta de la rapidez con que transcurre la vida.

Cómo orientar positivamente tu vida

El elixir de Wild Oat te permitirá dar sentido a tu vida. Tómate el tiempo necesario para escuchar tu yo interior. Tienes, como todo el mundo, una parte que sabe con precisión qué es lo mejor para ti y para tu desarrollo personal. El Wild Oat te ayudará a tomar contacto con tu voz interior. Entonces podrás escoger con facilidad entre varias posibilidades y te sentirás, así, más seguro de ti mismo y más satisfecho.

Flores complementarias (página 27): Cerato.

El Wild Oat ayuda a dar sentido a la vida.

El Wild Rose te dará coraje y alegría por la vida.

WILD ROSE – Escaramujo o Rosa silvestre

>> Si tengo una rama verde en el corazón, un pájaro cantor podrá posarse en ella <<

Proverbio chino

¿Tienes la sensación de vivir tras un velo que no deja pasar alegría ni tristeza alguna? ¿Piensas que todo está ya escrito y predeterminado de manera que no merece la pena intentar cambiar tu persona o tus circunstancias porque será lo que el destino quiera? ¿Eres indiferente a lo que te rodea aunque tengas razones suficientes para estar contento (porque estás sano, porque tu familia está bien o porque te ha pasado algo bueno)? ¿Tienes el sentimiento, en lo más profundo de tu ser, de que estás fuera de la vida misma? ¿Te sientes cansado y débil, con la sensación de que «todo lo que hagas no sirve para nada»?

Es posible que formes parte de esas personas que aceptan con resignación los avatares de la vida. Ese tipo de fatalismo se confunde a menudo con el sentimiento de «estar más allá del bien y del mal», pero en tu caso falta la alegría de vivir y la felicidad. Algunas personas no son plenamente conscientes de su actitud profundamente resignada. Quizá sientas un vacío interior y una ausencia de alegría por la vida que son como el hilo conductor de tu propia vida, independientemente de las impresiones exteriores. O bien te conformas sin ganas ni vitalidad con el *modus vivendi* que te rodea. Esta actitud cerrada al mundo exterior se gesta, por lo general, a causa de acontecimientos vividos durante la más tierna infancia o por una larga enfermedad.

Cómo orientar positivamente tu vida

El elixir de Wild Rose no puede cambiar de la noche a la mañana un comportamiento semejante, como es natural; probablemente sea necesario algún tipo de psicoterapia, pero el Wild Rose te ayudará a «entreabrir las persianas», con precaución. Para ello es indispensable que tomes consciencia de tu estado y que te des cuenta de la situación de emergencia que te ha sumergido en semejante atolladero.

Si estás ya poseído por un sentimiento de resignación (debido a una enfermedad o a una fatalidad, por ejemplo), el Wild Rose te dará «movilidad» y te permitirá ver tu situación con voluntad activa, en lugar de soportarla con resignación.

Flores complementarias (página 27): Gentian, Honeysuckle, Mustard, Star of Bethlehem.

WILLOW – Sauce

>> No es lo que vivimos, sino la forma en que sentimos lo que vivimos lo que determina nuestro destino <<

Marie von Ebner-Eschenbach

¿Tienes la sensación de que atraes problemas como un imán? ¿A veces te preguntas, secretamente, qué has hecho para merecer eso? ¿Formas parte de esas personas a las que todo les sale mal? Quizá tu coche se pase

El Willow te permite superar el sentimiento de amargura.

más tiempo en el taller que los coches de los demás y, cuando estás de vacaciones tienes que cambiar varias veces de hotel hasta encontrar una habitación en condiciones.

Podríamos alargar indefinidamente la lista de catástrofes que parecen sucederte, como si el destino la hubiera tomado contigo personalmente. Con el tiempo, acabas por desarrollar un sentimiento de acritud y amargura hacia aquellos que corren mejor suerte que tú. Ya no esperas nada bueno de la vida sino acontecimientos negativos.

Lo que te pasa es que acabas por no fijarte en las cosas buenas que te pasan. Percibes cuándo te toca hacer la cola más larga y lenta en el peaje de la autopista, pero olvidas de inmediato todas las veces que has pasado el peaje con rapidez. Así entras en un círculo vicioso: cuanto más contemplas lo que te rodea con ojos negativos, más negativas serán tus experiencias porque tu disposición y tus expectativas interiores influyen directa e indirectamente en el comportamiento de la gente. «El sol brilla tanto en el interior como en el exterior», reza un proverbio popular. Si tenemos una actitud negativa y desconfiada hacia los demás, estos se darán cuenta. En caso de una larga y difícil enfermedad, es aún más fácil caer en la amargura, especial-mente si nos tomamos la enfermedad como un golpe bajo del destino y no como la ocasión para cambiar cosas en nuestra vida a fin de estar mejor anímicamente.

Posiblemente te cueste aceptar todo esto y serías capaz de citar una retahíla de ejemplos que prueban que eres víctima objetiva de la adversidad. Todos vivimos, cada día, acontecimientos que parecen torcerse pero lo realmente determinante es nuestra reacción al respecto, nuestro esfuerzo por ver el lado positivo de las cosas. Si se anula un concierto que estaba esperando desde hace tiempo, puedo reaccionar de dos maneras: «Típico, cada vez que organizo algo agradable me sale mal» o bien «Lástima, pero al menos escucharé el nuevo CD en casa, esta noche».

Cómo orientar positivamente tu vida

El elixir de Willow te ayudará a superar la acritud. Si lo logras verás cómo eras en parte responsable de tu situación, y no la víctima de algún «poder oscuro». Puedes ver las cosas de forma más positiva y, en consecuencia, modificar tus reacciones.

Flores complementarias (página 27): Gentian, Gorse, Heather, Holly, Honeysuckle, Star of Bethlehem.

NOTAS PERSONALES

Para poderlas comparar posteriormente, anota aquí las flores que has escogido, la fecha y las razones de tu elección.

Flor escogida	Fecha	Razón

Automedicación
con flores de Bach

Una vez elaborada tu mezcla personal de elixires,

remítete al presente capítulo para responder

todas las preguntas que se te ocurran sobre la

compra, preparación y conservación de tus

esencias.

Asimismo, encontrarás indicaciones sobre los

múltiples usos del «remedio de urgencia».

En este capítulo encontrarás la información necesaria para aplicarte tratamiento a ti mismo, con éxito, mediante los elixires de flores del Dr. Bach. El texto ha sido voluntariamente compartimentado para permitir un acceso rápido a los elementos esenciales, como la dosificación.

Cuándo tratarse

Las flores de Bach pueden emplearse en situaciones cotidianas de lo más variado, para tratarte a ti mismo, a tus hijos, a tus mascotas o a tus plantas:

> Casos de urgencia o de crisis psíquica aguda

Teniendo en cuenta la simplicidad de su empleo y la total ausencia de efectos secundarios, las flores de Bach están perfectamente adaptadas para la automedicación en determinadas situaciones críticas de la vida cotidiana, como la ansiedad ante un examen, el estado de shock ante una separación o un deceso, el miedo a coger un avión, las consecuencias de un accidente (ver párrafo «remedio de urgencia», página 113).

> ### Problemas psíquicos y físicos de larga duración

En caso de problemas físicos, la automedicación también es posible, pero solo tras consultar a un terapeuta. Las flores de Bach ayudan a pacientes que sufren afecciones crónicas a superar estados de ánimo negativos, como el desánimo, la desesperanza o la amargura, así como a reencontrar las ganas de vivir y el optimismo que contribuyan a una mejora de la salud. Este tipo de tratamiento requiere de una cierta experiencia en terapia de Bach, mucha intuición y una capacidad asegurada de observación. Así que se recomienda encarecidamente, en estos casos, acudir a un terapeuta experimentado para empezar el tratamiento.

> ### Desarrollo personal

Las flores de Bach pueden ser útiles a todos aquellos que quieran deshacerse de ciertos rasgos de carácter que les pesan, como la intolerancia, el orgullo, la envidia, la agresividad o el complejo de inferioridad, a fin y efecto de conseguir paz y satisfacción interior. Para ello se requiere un buen conocimiento de uno mismo y capacidad para reconocer los defectos propios.

> ### Niños y lactantes

Los niños reaccionan rápido y bien ante un tratamiento para superar problemas escolares, celos de los hermanos y hermanas, nostalgias o ansiedad, por ejemplo. En caso de crisis aguda, puedes usar el recurso del «remedio de urgencia» (página 113). Para un tratamiento de fondo, lee el capítulo titulado «Flores de Bach para niños».

> ### Animales y plantas

Las flores de Bach tienen, igualmente, un efecto positivo, así como curativo, vigorizante y calmante sobre animales y plantas enfermos o agotados.

Desarrollo del tratamiento

Las reacciones a la primera toma de esencias de Bach son variables:
> Puede observarse, en ocasiones, una necesidad profunda de estar tranquilo o de dormir, con fases de sueños más intensas, signos de que algo está sucediendo a nivel psíquico. También puedes sentirte más alegre desde las primeras semanas, tener más energía, así como mayor estabilidad y satisfacción moral.

> Podría suceder, aunque raramente, que el estado psicológico empeore brevemente, o que aparezcan síntomas físicos. Interrumpe entonces el tratamiento y espera a que esas «reacciones de curación» desaparezcan (pueden tardar horas o días). Retoma luego el tratamiento disminuyendo las dosis, si fuera necesario.

Duración del tratamiento

En los casos de crisis aguda, el estado mejora rápidamente, es decir, en apenas unas horas o unos días. Puedes suspender un tratamiento cuando notes que ya «has salido a flote» y que no necesitas más esencias.

> En caso de crisis aguda, toma tu mezcla de esencias durante tres o cuatro semanas. Eso viene a ser la cantidad de elixir contenido de un frasquito de 30 ml. Después, puedes continuar el tratamiento si sientes que te ha sido de utilidad y que necesitas más. O bien puedes probar con otra mezcla que se adapte mejor a tus necesidades en cada momento preciso. En cualquier caso, hay ocasiones en las que se necesitan varios meses de tratamiento para recuperar el equilibrio perdido.

> Si tomas flores de Bach para tu desarrollo personal o para tratar problemas antiguos y perdurables, necesi-

INFORMACIÓN

LÍMITES DE LA AUTOMEDICACIÓN

> Los problemas psíquicos graves tales como la neurosis, la psicosis, la depresión endógena y los conflictos internos profundos nunca deben ser objeto de automedicación. En esos casos debe consultarse, siempre, a un terapeuta experimentado.
> Lo mismo si se trata de enfermedades fisiológicas graves. Las flores de Bach pueden emplearse para aligerarlas, pero solo con el beneplácito del médico especialista.
> La dificultad para reconocer y aceptar nuestros defectos constituye un límite para la automedicación. Por ejemplo, si nos sentimos infelices e incomprendidos pero somos incapaces de reconocer que el responsable de ese estado es nuestro propio comportamiento.

tarás más paciencia. Deberás estar preparado interiormente para participar de manera activa en el proceso de curación. Según la dificultad de tu caso, tu edad y tu personalidad, podrías necesitar hasta un año para que los cambios se estabilicen de manera permanente. Eso no significa que hasta que no pase un año no notarás mejoría: tras la ingesta de la primera mezcla, es decir, tres o cuatro semanas, empezarás a sentirte mejor y a notar cambios.

Efectos secundarios

No existen efectos secundarios indeseables que se hayan observado, hasta hoy, tanto a nivel físico como mental.

Interacciones medicamentosas

No hay interacciones con otros medicamentos, aunque se trate de plantas, de homeopatía o de alopatía. Solo hay una excepción: los gránulos homeopáticos de Hahnemann que, por regla general, no deben tomarse al mismo tiempo que las flores de Bach. Pide consejo a tu terapeuta. La ingesta de elixires de Bach permite la disminución en las dosis de antidepresivos en aquellos pacientes que estén sometidos a tratamiento psicoterapéutico,

> Conserva los frascos de los elixires a temperatura ambiente y al abrigo de la luz.

pero dicha disminución debe hacerse prudentemente, paso a paso, y de acuerdo con el médico. Por otra parte, las flores de Bach no suelen tener efecto alguno en aquellos pacientes que han estado tomando antidepresivos durante mucho tiempo.

Dónde conseguir flores de Bach

En España, las flores de Bach se venden en las tiendas de dietética y herboristerías, así como en farmacias homeopáticas, en algunas parafarmacias y en Internet. Normalmente, los elixires se comercializan bajo su nombre en inglés (aunque se pueden encontrar en otros idiomas), en frasquitos individuales de 10, 20 ó 30 ml o bien en cajas de 38 ó 40 frascos.

> Atención: los precios varían mucho de un comerciante a otro. Puedes empezar por hacer tu mezcla personalizada. El precio dependerá, entonces, del número de elixires utilizados.

Preparación de una mezcla de esencias

Si prefieres confeccionar tú mismo la mezcla de elixires, necesitarás:

> Los frascos de elixir de cada una de las flores que hayas escogido (ver «Dónde conseguir flores de Bach»).
> Un frasco con una pipeta o cuentagotas, de 20 ó 30 ml.
> Agua mineral, normal. Nada de agua destilada, ni desmineralizada.
> Un conservante, es decir, alcohol de 45° o un espirituoso muy alcoholizado, como el coñac, un aguardiente de frutas o *brandy*. Nada de licores. Para los niños o las personas que no toleren el alcohol, usa un vinagre de frutas.

Disolución, mezcla y conservación

> Los elixires se diluyen en el frasco a razón de una gota de elixir por 10 ml de solución. Eso significa que en cada frasco de 30 ml deberás incorporar 3 gotitas de elixir. Acto seguido, acaba de llenar el frasco con tres cuartos de agua mineral y un cuarto de conservante. Todas las esencias

ALTERNATIVA A LOS ELIXIRES INGLESES ORIGINALES

> Además de los elixires producidos en Inglaterra, en la actualidad se encuentran también de origen californiano, los cuales cuentan con 16 esencias suplementarias (junto con las 38 flores de Bach), siendo 54 en total. Mis más de veinte años de experiencia demuestran, sin embargo, que las 38 esencias de Bach cubren todas las necesidades de tratamiento para todos los estados emocionales descritos.
> Visto el éxito de la terapia de Bach, los fabricantes se han multiplicado en los últimos años. Escoge bien, por tanto, tu proveedor. Para algunos fabricantes, el remedio de urgencia se llama «Five-Flowers-Remedy» y no «Rescue-Remedy».

son combinables entre ellas. Por ejemplo, si has escogido cinco flores y quieres preparar un frasco de 30 ml, echarás 3 gotas de cada elixir en el mismo, es decir, quince gotas en total. Después llenarás el resto del frasco con tres cuartos de agua mineral y un cuarto de conservante.

> Si necesitas de un efecto muy rápido, en situaciones críticas por ejemplo, mezcla las esencias directamente en un vaso de agua a razón de entre 2 y 4 gotas de elixir de cada flor, llenan-do luego tres cuartos del vaso con agua mineral. Bébete la solución a pequeños sorbos durante toda la jornada. Podrás repetir dicha operación un máximo de dos semanas, hasta que los efectos se hagan sentir.

Almacenamiento y límite de conservación

Los frascos de elixires se conservan de manera casi indefinida si se mantienen a temperatura ambiente y

Las flores de Bach proporcionan satisfacción y alegría de vivir.

al abrigo de la luz. Los frascos precintados pueden consumirse incluso después de la fecha de caducidad indicada en el embalaje, ya que esa fecha solo se pone por razones legales.

Un frasco de cuentagotas lleno de mezcla de elixires se conserva un máximo de cuatro o cinco semanas. En cualquier caso, no tomes ningún elixir que haya cambiado de color o de sabor.

Posología

> La dosis habitual es de cuatro gotas, cuatro veces al día, tomadas directamente bajo la lengua o en una cucharilla de plástico. En caso de crisis, puedes tomar cuatro gotas cada hora hasta que te sientas mejor, durante dos o tres días. No obstante, estos consejos de uso son meramente indicativos. Lo realmente importante en la dosificación es tu percepción personal. Eres tú quien decidirá, en definitiva, el número de gotas y la frecuencia de las tomas, según tu criterio. Teniendo en cuenta el funcionamiento de las esencias, la sobredosis es imposible y nunca se ha observado ningún caso, hasta el presente.

> La ingesta de las gotas debe hacerse, preferentemente, por la mañana, a mediodía, por la tarde y por la noche, si es posible antes de las comidas. Para lograr una mayor eficacia, mantén las gotas en la boca durante unos instantes.

Qué hacer si no se notan efectos

Si has estado tomando tus gotas entre cuatro y seis semanas y no percibes cambio alguno, puede ser por alguna de las siguientes razones:

> No es la mezcla que realmente necesitas. Repasa la lista de síntomas (páginas 19 a 23) y compárala con las descripciones del catálogo para encontrar las esencias que más te convengan.

> Esperas resultados espectaculares de las esencias y no eres capaz de ver las pequeñas modificaciones que van teniendo lugar.

> No estás preparado inconscientemente para cambiar tu estado emocional.

> Tu capacidad de respuesta está bloqueada por la ingesta de antidepresivos.

En estos casos es indispensable la opinión de un terapeuta experimentado sobre la forma de hacer el tratamiento. No concluyas, de buenas a primeras, que la terapia con flores de Bach es ineficaz.

Remedio de urgencia (Rescue Remedy)

El remedio de urgencia (Rescue Remedy) es una asociación de cinco flores, elaborada por el Dr. Bach personalmente. Contiene las esencias de Star of Bethlehem, Rock Rose, Impatiens, Cherry Plum y Clematis. Se compra ya hecho, diluido o en un pequeño frasco, en los distribuidores de flores de Bach. Si tienes que adquirir el remedio de urgencia, exige siempre el frasco original. Se conserva mucho más tiempo y, de ese modo, resulta menos caro.

Cuándo usar el remedio de urgencia

El remedio de urgencia se emplea en situaciones emocionales difíciles que se presentan en la vida cotidiana, exactamente igual que los medicamentos de «primeros auxilios». Dichas situaciones pueden estar provocadas por una visita al dentista, por un examen, por nervios, por un viaje en avión, por noticias desagradables, por la pérdida de un ser querido o de un animal de compañía, por una separación…

113

> Previsto para situaciones de crisis, el remedio de urgencia puede ser ingerido tantas veces como sea necesario, pero si la situación dura más de dos o tres días y no notas mejoría alguna, se aconseja preparar una mezcla de urgencia personalizada, a partir de elixires concentrados adaptados a tu estado de ánimo concreto.

> El remedio de urgencia también alivia heridas, (pequeños cortes o quemaduras ligeras), así como las consecuencias físicas de pequeños accidentes (contusiones o esguinces). Permite estabilizar el equilibrio emocional y suele hacer efecto en pocos minutos.

> Este remedio puede ser administrado tanto en adultos como en niños y lactantes. Es igualmente eficaz con los animales de compañía.

Aplicación

El remedio de urgencia puede ser administrado por vía interna o externa.

Uso interno

> En caso de urgencia, diluye cuatro gotas de elixir en un vasito (20 cl.) con agua mineral, zumo de frutas o una infusión, y bébete la preparación en los siguientes 15 minutos, a pequeños sorbitos. Si no notas ninguna mejoría, puedes repetir la operación con un segundo vaso e incluso con un tercero.

> Muchas personas prefieren ingerir el remedio de urgencia puro, es decir, echándose las gotitas directamente bajo la lengua o en el dorso de la mano. En estos casos, un par de gotitas serán suficientes.

> El remedio de urgencia se administrará siempre en forma pura a aquellas personas que hayan perdido el conocimiento. En este caso se depositan dos o tres gotas en las encías o sobre los labios del paciente.

> Para los niños y los lactantes, vierte cuatro gotas de elixir en un frasco de 20 ml, dotado de cuentagotas, y acaba de llenar el frasco con agua mineral. Echa entonces cuatro gotitas del pre-

ATENCIÓN

!

A TENER EN CUENTA

El remedio de urgencia es como una especie de botiquín de primeros auxilios en caso de accidente: ayuda a superar el *shock* psicológico. Pero no puede, en modo alguno, sustituir el tratamiento médico. Consulta pues, inmediatamente, a tu médico.

Las gotas de emergencia también sirven para aplicaciones externas

parado sobre la lengua o los labios de la criatura, en breves intervalos.

Uso externo

El remedio de urgencia debe usarse de forma externa en casos de tensiones, pequeñas quemaduras, heridas simples o problemas dermatológicos.

> Diluye seis gotas en medio litro de agua y empapa en esta solución toallitas o compresas.

Crema

El centro Bach de Inglaterra elabora una crema a partir del remedio de urgencia y de la esencia de Crab Apple, comercializada con el nombre de «Rescue Cream», que se encuentra en los puntos de venta de las flores de Bach.

Esta permite desencadenar rápidamente el proceso de curación en el caso de cortes superficiales, quemaduras ligeras, quemaduras solares o insolaciones suaves, esguinces y contusiones, pero también puedes usar la crema sobre picaduras de insectos, granos y pequeñas afecciones de la piel.

PREGUNTAS FRECUENTES

Soy alérgico a las flores, ¿puedo tomar flores de Bach?

Los elixires de flores de Bach son mezclas puras con agua y alcohol y no contienen, teniendo en cuenta su forma de preparación, ninguna sustancia susceptible de desencadenar una alergia. Así pues, las personas alérgicas las pueden tomar tranquilamente.

¿Tienen las flores de Bach algún efecto en los problemas fisiológicos?

Las flores de Bach tienen efecto sobre problemas fisiológicos, como dolor de cabeza o caída del cabello, cuando el origen de dichas dolencias es de carácter psicológico. La jaqueca puede producirse por estar agotado; la caída de cabello por una pena grande y contenida, que no se ha podido expresar mediante el duelo oportuno. Las flores de Bach pueden atenuar esos problemas e incluso eliminarlos completamente.

Si los problemas están ligados a alteraciones orgánicas o a problemas hormonales, las flores de Bach deben ser empleadas solo para mejorar el estado anímico del paciente. Su efecto, en ese caso, es indirecto.

¿Se puede reforzar el efecto de las flores de Bach?

Sí. Las flores de Bach no son como el rey Midas, que transformaba en oro todo lo que tocaba. Su efecto depende de nuestra colaboración.

Si tomas un elixir para aprender a decir que no, debes ejercitarte en decir «no», con precaución, claro, pero conscientemente. Si tomas un elixir para estar más calmado, puedes también esforzarte para conseguir calma mediante algún entrenamiento autógeno.

Las flores de Bach nos ayudan a modificar ciertos comportamientos, pero somos nosotros mismos los que debemos cambiar.

Si me cuesta decidirme por un máximo de 10 flores, ¿por qué no puedo tomar las 38 variedades?

Esa posibilidad ya fue rechazada por el Dr. Bach. Si tomáramos los 38 elixires al mismo tiempo, las informaciones de cada flor (a veces contrarias) se contrarrestarían, siendo imposible para el organismo asimilarlas correctamente.

¿Puedo tratar plantas y animales con la terapia de flores de Bach?

¡Naturalmente! Los animales y las plantas mejoran con los elixires.

Vierte una pipeta de remedio de urgencia en dos litros de agua para curar a las plantas enfermizas.

Para los animales, deberás encontrar las flores adecuadas según su comportamiento o estado.

¿Dónde crecen las flores de Bach?

Crecen en Inglaterra y, según creen algunos, en el mismo monte Vernon donde el Dr. Bach las recogía personalmente hace más de 80 años.

¿Existen riesgos si me equivoco en alguna cosa?

¡De ninguna manera! Aunque escojas flores que no te convengan en absoluto, aunque tomes mucha cantidad, no tendrá ningún efecto nefasto para tu salud física o mental. El principio sobre el que se fundamentan las flores de Bach es similar al de las cerraduras y las llaves: estas abren solo las cerraduras que les corresponden.

¿Cuánto tiempo se pueden conservar los elixires de flores de Bach?

Los frascos originales pueden conservarse casi indefinidamente, a condición de estar guardados a temperaturas inferiores a los 40º C. La fecha de caducidad que se indica en los frascos o cajas (que marcan una duración de 5 años) no es sino una mención legal exigida que no se corresponde con la verdadera duración del producto.

Las mezclas, sin embargo, suelen conservarse solo durante algunos meses.

¿La contaminación ambiental puede modificar el efecto de las flores de Bach?

Hay que distinguir entre contaminación química (insecticidas, pesticidas, lluvia ácida) y la contaminación electromagnética. Como las flores de Bach no tratan con sustancias químicas, la contaminación química no tiene por qué influir en su efecto. En cambio, una contaminación electromagnética podría tener algún efecto sobre los elixires ya que este tipo de polución puede afectar a las informaciones fisiológicas. Así pues, es particularmente importante que los árboles y arbustos en los que crecen estas flores vivan en un entorno natural lo más virgen posible.

Flores de Bach para niños

Los niños pueden, como los adultos, encontrar equilibrio y armonía en las flores de Bach y no existe ningún riesgo de alteración en las criaturas. Se trata de equilibrar, suave pero eficazmente, eventuales «irregularidades» de comportamiento. Las flores de Bach no hacen más que reforzar la atención prestada por los padres, representando una ayuda preciosa en el desarrollo armonioso del niño.

En este capítulo encontrarás una breve introducción relativa a la utilización de las flores de Bach entre los pequeños, así como consejos a tener en cuenta durante el tratamiento.

El tratamiento infantil

Las flores de Bach son especialmente adecuadas para el tratamiento infantil, ya que estos reaccionan inmediatamente a sus propiedades. En efecto, cuando en los niños aparecen por primera vez estados anímicos como el miedo, la ansiedad, la falta de seguridad o la falta de confianza, en el caso de los adultos estos estados se encuentran fijados desde hace mucho tiempo. En consecuencia, es mucho más fácil obtener resultados rápidos y visibles en los pequeños que en los adultos.

Si quieres tratar a tus hijos con flores de Bach, sigue los consejos que te proponemos.

Selección de las flores

Contrariamente a lo que sucede con adultos y jóvenes, a los niños no se les puede someter a un interrogatorio directo, dada su corta edad: es necesario observar atentamente su comportamiento para encontrar las flores adecuadas.

Un niño de 4 años que está celoso de su hermana pequeña no sabe que el estado emocional que sufre se llama «celos». Solamente tiene necesidad de que el objeto de dichos celos (en este caso la hermanita) sea alejado, empujado, expulsado de su vida emocional para que su sentimiento desaparezca.

Esto significa que la selección de flores no se puede hacer a partir de la descripción de los estados anímicos sino de la observación de los comportamientos. Por otra parte, no es objeto de la presente obra tratar sobre los diferentes modelos de comportamiento infantil, sino que únicamente se adapta de manera limitada a la se-lección de lo elixires convenientes para los niños.

¡Trátate a ti mismo!

Antes de tratar un eventual comportamiento difícil o raro en tu hijo, asegúrate de que tu propia actitud no es el verdadero origen de dicho comportamiento anómalo o, al menos, que no lo favorece. Los niños suelen ser el reflejo del comportamiento de sus padres.

Para los pequeños, numerosos estados emocionales o modelos de comportamiento (como la agresividad, la impaciencia, la ansiedad o la falta de confianza) están aún en pleno desarrollo. Ahora bien, la disposición natural de los niños y la colaboración de los padres juegan un papel decisivo en dicho desarrollo.

LOS NIÑOS NO SON SINO EL REFLEJO DE SUS PADRES

TRUCO

Recomiendo encarecidamente a los padres, o al menos a la madre, de tomar también elixires cuando intentan tratar a sus hijos con flores de Bach.

¡No sería el primer caso en que un niño deja de tener necesidad de las esencias en cuanto sus padres empiezan a tomarlas!

Para que las flores de Bach puedan favorecer una modificación a largo plazo, en este período de desarrollo, es indispensable que cualquier posible influencia negativa de los padres se transforme en un apoyo positivo hacia el niño.

En el caso de afecciones fisiológicas, como el eccema, la migraña o el asma, puede ser que el comportamiento de los padres no haga sino añadir más leña al fuego, dado que estas afecciones prosperan a menudo en el seno de conflictos no resueltos.

Cuándo tratar a un niño

Las flores de Bach pueden emplearse para el tratamiento de niños en los siguientes casos:

1 En casos de urgencia (quemaduras leves o shocks psicológicos). Para ello existe una mezcla elaborada por el Dr. Bach que se vende a punto para ser usada: el remedio de urgencia (ver página 113).

2 En caso de afecciones agudas (tos, reuma, estados gripales, afecciones infantiles), para reforzar el proceso de curación y aumentar las defensas inmunitarias.

3 En caso de problemas crónicos que conlleven una parte psicosomática

importante (eccema, asma, enuresis, tartamudeo).

4 En trastornos del comportamientos como:

> En una etapa de negación.
> En caso de dificultades de adaptación a la escuela.
> En todos los casos de dificultades escolares como la falta de concentración, el miedo a los exámenes o la ausencia de integración en el grupo.
> En estados de excitación.
> En problemas fraternales como celos, agresividad y demás.

Principios fundamentales en el tratamiento para niños

En los adultos, la colaboración activa del paciente es indispensable para lograr una modificación perdurable de un estado emocional antiguo. La facultad para saber decir que no, por ejemplo, no se puede conseguir con la simple ingesta del elixir Centaury; es necesario que el paciente se esfuerce al mismo tiempo en adoptar el comportamiento buscado. Las flores de Bach, entonces, le ayudan y le dan fuerza. Entre los niños, sin embargo, eso no es ni necesario ni posible, porque ni siquiera son conscientes de su incapacidad para decir «no». Por otra parte, los pequeños no tienen ninguna necesidad de saber que están tomando flores de

Bach ni para qué las toman. De hecho, es importante que no sepan que las están tomando para que no piensen que necesitan tomar una cosa para ser «como Dios manda».

Intenta, pues, encontrar una razón simple y natural para justificar la ingesta de los elixires: para prevenir la tos o para estimular el crecimiento del pelo, por ejemplo. Los niños deben tener siempre la sensación de que son buenos y que se los acepta tal y como son. Desde un punto de vista educativo, las reprimendas deberían ir enfocadas a su comportamiento, nunca a su forma de ser.

Procedimientos

La preparación de las mezclas se efectúa como en el caso de los adultos, pero reemplazando el alcohol de conservación por vinagre de frutas.

La posología es de 4 gotas 4 veces al día, depositadas bajo la lengua o en el dorso de la mano.

La duración del tratamiento dependerá de la reacción obtenida. Si el comportamiento mejora notablemente en dos semanas, se pueden retirar las ingestas y observar la evolución del pequeño. Si los síntomas reaparecen, se reanuda el tratamiento con la misma dosificación. En general, un frasco de mezcla es suficiente. Cuando se consigue el objetivo se retira el tratamiento, si no, se prepara un nuevo frasco de mezcla.

Conserva los frascos de los elixires a temperatura ambiente y al abrigo de la luz.

Ayuda externa

Si no obtienes resultados notables con las mezclas preparadas, pide consejo. Bastará con hablar con algún amigo, que seguramente verá a tu hijo con otros ojos, para que te ayude a escoger las flores convenientes.

En situaciones particularmente difíciles, te recomiendo que acudas a un terapeuta profesional especialista en flores de Bach.

121

Lo esencial,
de un vistazo

QUÉ SON LAS FLORES DE BACH

Son esencias de flores que se toman por vía oral y llevan el nombre de su descubridor, el médico inglés Edward Bach (1886-1936). Se fabrican de manera natural a partir de las flores de árboles y arbustos silvestres. Existen 38 variedades en total.

CUÁL ES SU ÁMBITO DE APLICACIÓN

Las flores de Bach inciden sobre la psique de los seres humanos y de los animales, pero sin los efectos secundarios de los psicotrópicos. Ayudan a superar estados «emocionales negativos», según los términos del Dr. Bach. Él entendía por «estados emocionales negativos» sentimientos como el miedo, la falta de coraje, la amargura o la desesperación, así como la sensación de estar al límite o la falta de confianza en uno mismo. En total hay 38 estados emocionales negativos que se corresponden con las 38 esencias de flores.

CÓMO FUNCIONAN LAS FLORES

Las flores de Bach no esconden sustancias químicas de ningún tipo, como los extractos de plantas o los comprimidos contra el dolor. Funcionan, probablemente, por la transmisión de informaciones de las vías fisiológicas.

¿CORRO EL RIESGO DE PERJUDICARME?

No. Aunque escojas flores que no te convengan en absoluto, aunque tomes mucha cantidad, no tendrá ningún efecto nefasto para tu salud física o mental. Las flores de Bach funcionan como las cerraduras y las llaves: estas abren solo las cerraduras que les corresponden.

¿HAY EFECTOS SECUNDARIOS O INTERACCIONES CON OTROS MEDICAMENTOS?

En el decurso de más de 60 años de empleo de las flores de Bach, jamás se han observado efectos secundarios ni interacciones con otros medicamentos. La única excepción es la homeopatía, que también incide en la psique y, posiblemente, con los mismos mecanismos.

¿QUÉ SE PUEDE TRATAR MEDIANTE LAS FLORES DE BACH?

Las flores de Bach pueden ser utilizadas en estados de sobrecarga psíquica o en caso de crisis agudas, para tratar ciertas afecciones fisiológicas, enfermedades crónicas y para mejorar el bienestar mental. Los niños responden particularmente bien al tratamiento con flores de Bach.

¿PUEDO TRATARME A MÍ MISMO?

Las flores de Bach están perfectamente adaptadas a la automedicación.

¿EN QUÉ CONSISTE EL TRATAMIENTO CON FLORES DE BACH?

La primera etapa consiste en encontrar las flores que correspondan a tu situación o a tu estado emocional. Si tienes, por ejemplo, miedo de una situación particular, necesitarás una flor contra el miedo; si estás desesperado, requerirás una contra la desesperación. Normalmente, hay que preparar una mezcla de flores antes de administrarlas.

Índice alfabético

IMPORTANTE

Las flores de Bach no son un remedio milagroso. Es esencial, antes de usarlas, proceder a un autointerrogatorio crítico a fin de encontrar las esencias adecuadas. Puede servir de soporte a otras terapias, tanto en las dolencias físicas como en las psíquicas, pero su principal efecto consiste en llevar a un paciente de un estado emocional negativo a otro positivo.

Es responsabilidad del lector juzgar si su caso incumbe a la medicina alopática o si las flores de Bach pueden ser una alternativa satisfactoria. Respeta los límites de la automedicación y consejos expuestos en este libro. Consulta al médico o a un terapeuta cuando tengas dudas sobre los síntomas o la evolución de una enfermedad. ¡Nunca corras ningún riesgo!

El autor y el editor declinan toda responsabilidad en cuanto a eventuales daños incurridos tras la utilización de la presente obra.

Título de la edición original:
Bach-Blüten für innere Harmonie

Es propiedad, 2004
© Gräfe und Unzer Verlag GmbH, Múnich

© de la edición en castellano, 2011:
Editorial Hispano Europea, S. A.
Primer de Maig, 21 - Pol. Ind. Gran Via Sud
08908 L'Hospitalet - Barcelona, España.
E-mail: hispanoeuropea@hispanoeuropea.com

© de la traducción: Pilar Guerrero

Depósito Legal: B. 17.505-2011

ISBN: 978-84-255-1817-1

Segunda edición

Consulte nuestra web:
www.hispanoeuropea.com

Fotos: Alamy: pág. 54, 55, 57, 61, 63, 66, 67, 71, 77, 84, 89, 95, 96, 100, 101; Beat Ernst, Basel: págs. 50, 72, 92; Corbis: págs. 2 izquierda, 12, 17, 23, 58, 64, 79, 83, 87, 99, 118; Gettyimages: págs. 3 izquierda y derecha, 18, 85; R. Hornberger: págs. 4, 15, 25, 88, 106; IFA: págs. 69, 121; M. Jahreiß: contraportada inquierda; Jump: pág. 27, 113; Lavendelfoto: pág. 51, 74, 80, 81, 90, 93; Mauritius: portada, pág. 2 derecha, 6, 8, 59, 111, 115; Medicalpicture: pág. 11; Okapia: pág. 53; J. Rickers: contraportada derecha; Studio Schimtz: pág. 109; Superbild: págs. 1, 48, 70, 97, 123; Transglobe Agency: pág. 104; Zefa: pág. 122.

IMPRESO EN ESPAÑA   PRINTED IN SPAIN

LIMPERGRAF, S. L. - Mogoda, 29-31 (Pol. Ind. Can Salvatella) - 08210 Barberà del Vallès